KROMZICHT

Van Max Niematz verschenen eerder:

Twee vreemden in een bootje (verhalen, 1995)
Eilandvrees (roman, 1998)
Op de leegte (roman, 1999)
Tweemaal Flip & een borsalino (roman, 2003)

Max Niematz

KROMZICHT

2008
Uitgeverij Contact
Amsterdam/Antwerpen

Eerste druk januari 2008
Tweede druk februari 2008

© 2008 Max Niematz
Omslagontwerp en vormgeving binnenwerk Suzan Beijer
Omslagfoto Wolfgang Flamisch/Corbis
Foto auteur Ronald Hoeben
ISBN 978 90 254 2565 4
D/2008/0108/900
NUR 301

www.uitgeverijcontact.nl
www.maxniematz.com

1

Kromzicht. Een rustig dorp. Vredig. Een dorp minder van monden dan van ogen en oren, een gat van horen, zien en zwijgen waar de boeren stiekem rijker, de knechten stilletjes armer werden. Rond dit uur van de middag kon je in de Voorstraat nu en dan nog het klingelen van een winkelbel horen. Ergens zat een duif te koeren, of je hoorde de gedempte tred van het paard dat door Moes, een van boer Tiedema's knechten, naar de werkplaats werd geleid om beslagen te worden.

Geen stilte zonder geluid – de Kromzichters waren oud en ervaren genoeg om met deze wijsheid vertrouwd te zijn, evenzeer als ze wisten dat er geen vrede bestond zonder oorlog, noch geluk zonder een drama op z'n tijd.

Drama's genoeg in Kromzicht, al werden ze binnen de deur gehouden. De ouderen hadden heel wat meegemaakt en het lag in de lijn der verwachting dat ook de jeugd haar deel zou krijgen aan onlust en onenigheid, al konden of wilden ze dat nog niet weten. Op school vertelde meester Den Hollander van oorlog, vaderlandsliefde, van Leiden in last en zo, en dat vrede niet iets was waarmee je geboren werd, maar iets dat je moest verdienen – dingen die hen gewichtig genoeg toeleken en toch nooit meer dan boeiende vertelsels voor hen waren.

's Avonds na het eten, wanneer ze nog op straat rondhingen en de lange dag hen zwaar begon te vallen, ja dan kwam de ware aard boven, dan werd er gestoeid door de jongens, gestompt, geduwd – ach, veel stelde het niet voor. Jongens wáren ruw. De enige die ze ooit echt vals gezien hadden, was Berend, zoon van boer Tiedema. Die zat in de derde klas van de lagere landbouwschool waar hij uitblonk in het behalen van de laagste cijfers voor boekhouden. 'Een waar struikelblok,' had de leraar gezegd – een kwalificatie die weldra ook op straat ingang vond. Als Berend kwam aanfietsen, riep Ludo, het jong van Hensius: 'Hé, wie komt daar? Het struikelblok!'

Berend nam het sportief op. Wel noemde hij Ludo, waar de meisjes bij stonden, 'een doetje' en daagde hem uit tot een wedstrijdje op de fiets. Berend lag vóór, want hij had spieren, een lijf dat voor de weinige kinderziektes die het had gekend, ruimschoots was gecompenseerd. Bij het kerkhof keerde hij en reed toen in volle vaart op de meisjes in. Gillend stoven ze uiteen.

'Charmeur,' lachte Ludo – het was bedoeld als compliment, maar werd niet als zodanig opgevat. Berend eiste dat Ludo het woord terugnam... 'Met alle plezier, voor 'n charmante stier...' Waarop Berend het spatbord van Ludo's fiets ramde.

De meisjes vonden het behoorlijk achterlijk van Berend Tiedema dat hij zijn ware gezicht zo toonde. Ludo

Hensius vonden ze een aansteller. Daarmee was de kous af, de trammelant woei over. Het duurde nooit lang, nooit langer dan een week of ze fietsten weer naast elkaar, Ludo en Berend, 's morgens op weg naar Aaland, en het was weer rustig in Kromzicht. Vredig. Alsof alleen weer en wind en wat jeugdig gesnoef op straat het dorp konden beroeren.

2

Hensius en Tiedema, twee boeren, twee namen die al eeuwen meegingen in het Oldambt. Hun landerijen grensden over de volle lengte aan elkaar. Ze lagen – niet al te gelukkig – ingemetseld tussen de uitgestrekte veengronden in het zuiden en de nieuwe zeepolders. Ogenschijnlijk was het vlak, eensoortig gebied. Rechte sloten versterkten die indruk. Toch bezat het een grillige geologie, bestaande uit dunne, vette lagen op een ondergrond van ondoordringbare knipklei, hier en daar onderbroken door langgerekte zandruggen.

In tijden dat er een gemoedelijker klimaat heerste tussen de hogere en lagere standen, waren er families geweest die kleinere stukken land voor een symbolische habbekrats van de hand hadden gedaan aan het werkeloze gros van hun arbeiders, om er eenmansbedrijfjes te stichten – altijd weinig productieve percelen die bovendien veraf in het voorouderlijk veen lagen. De twee Kromzichter geslachten waren nooit aan deze uitdeling begonnen. Hun land lag er nog precies bij zoals het in bezit van vorige geslachten was gekomen, bewerkt weliswaar, maar onaangetast door samaritaanse barmhartigheid.

Hun bezittingen waren immens. Verder en verder

hadden de eerste Tiedema's hun zwetsloten doorgetrokken in onontgonnen gebied, en meer en meer had ook de vroegere familie Hensius haar heerd opgestrekt, zowel naar het noorden als naar de veenkant. Een deel van Hensius' land lag zelfs nog maagdelijk, hij had er in geen vijf jaar een stap gezet – het was de Tiedema's niet ontgaan. Ze hadden belangstelling getoond, maar die van Hensius deden of hun neus bloedde. Niet geld, maar grond was zaligmakend. En dus bewaarden ze hun zand en veen, als was het de beste grondsoort van Nederland.

Na de veepest van de achttiende eeuw, die hele veestapels op rij vernielde, had het merendeel van de Oldambtster boeren zich gedwongen gezien op landbouw over te gaan. Ook daar hadden de twee van Kromzicht de zin niet van ingezien. Ze hadden stug aan hun vee vastgehouden, en deden dat nog, een verbetenheid die hun de naam van dwarskoppen had opgeleverd. Dwars waren ze, maar niet dom, niet onrealistisch. Die van Hensius hadden rond de eeuwwisseling een kwart van hun groene hectaren tot bouwland vermaakt, en hoewel de Tiedema's in die dagen al even behoudend en op de centen waren als die van vandaag, moesten ze toch nog een restje vooruitziende blik hebben bezeten. Want ook zij hadden er ten slotte toe besloten een deel van hun grasland te scheuren, met bloedend hart – land immers waarvan de structuur al eeuwen vastlag.

'Dikke boeren' noemde men zulk slag in het Oldambt. Wat heet? Ze zaten er warmpjes bij, de gemengde exploitatie had vruchten afgeworpen. Met stalmest verrijkten ze de klei aan gene zijde van het Kromdiep, gebieden die anderzijds het voeder leverden voor het vee dat graasde op de lichtere gronden. Bij voortduring verbeterden ze hun land, allereerst door wisseling van vrucht per akker – de tijd dat er om de zeven jaar gebraakt werd, was voorbij. Tussentijds zaaiden ze op gerstakkers een jaar of twee klaver of teelden er paardenbonen op rij. Ook de afwatering kon beter, vond Hensius. Hij was de eerste die zijn land liet draineren, een jaar of wat later gevolgd door de man die graag de kat uit de boom keek en Tiedema heette.

3

Zo leefde er in Kromzicht bij gebrek aan resten van een feodale adel een bescheiden boerenaristocratie te midden van een schare bezitlozen die de boer weinig last bezorgde. In het hoogseizoen had Tiedema er zo'n zeven in dienst, tegen kost en inwoning en een liefdadige zakstuiver. Onder hen Moes, hij was – vele jaren achtereen al – hun vaste 'losse kracht'.

Tiedema liet hen zichten, binden, oogsten – een zomer lang beulde hij zijn volk af. Bij winterdag liet hij weten: 'Heren, u wordt bedankt, ik kan het verder wel met m'n zoon af', wat betekende dat de knechten weer armlastig werden en ook Moes werk en onderdak kwijt was. Dan brak de tijd van lummelen weer aan, van op straat rondhangen, of in het lokaal van Lodder om er zich te beknorren over de boeren en de honger te verdrinken, maar ook om te horen of er nog ergens werk was.

Dat voorjaar kende een paar uitzonderlijk gure dagen. Nare vrieswind woei uit het noorden. Tot laat in de morgen lag er rijp op het gras. Het volk zat bij Lodder. Achter de ruggen van wat druktemakers dronk ook Moes er zijn bocht. Met zijn ogen op het schelpengruis gericht waarmee de vloer bestrooid was dacht hij aan Tiedema's dieren. Vrouw Lodder mokte op iemand die met slijklaarzen was binnengekomen, ze vouwde een kartonnen doos uit bij de deur – Moes zag het maar half gebeuren, zozeer vervaagde alles, als hij aan zijn dieren dacht.

Ze noemden hem 'de stille'. Want ja, zo was hij misschien: stil, zwijgzaam – niet van nature per se. Eigenlijk praatte hij zo weinig uit vrees verkeerde dingen te zeggen. Zelden gaf hij zijn mening, wanneer iemand daarnaar vroeg. Liever haalde hij zijn schouders op of mompelde 'kweet niet', om ervan af te zijn. Het was nu eenmaal zo: als je een mening had, viel je op, en wie opviel, maakte zich niet geliefd bij de boeren.

Maar 's morgens... Altijd was hij als eerste op, en altijd vóór vijven. Niet zonder tegenzin ging dat – even gewetensvol legde hij zich 's avonds weer neer in zijn afdruk in het stro, liever dáár, in de stal, dan bij de anderen op een van de britsen in het arbeiderslokaal. Het bleef daar lang onrustig, want pesterijen waren in de mode en achter de wand hoorde je de meiden giechelen. In de stal was het beter. Elke koe was anders, maar stuk voor stuk gaven ze een gloed af die loom en gelukkig maakte. Dan lag hij te luisteren, op zijn rug, de ogen dicht, naar de wind of het geritsel van muizen die op het voer afkwamen – te luisteren naar de koeien vooral. Gespitst op tekenen van kou of darmstoornis hoorde hij ze ademen in het donker, als stonden ze pal naast hem, hoorde ze snuiven, kauwen, winden laten. Het zachte klokken van hun magen – voor Moes bestond er geen mooiere muziek om mee in slaap te vallen.

En nu moest hij dat alles missen. Ach, hij had het slechter kunnen treffen. In elk geval achtte hij zijn positie bij Tiedema veilig genoeg, straks wanneer het seizoen weer begon. De boeren waren hard voor hun volk. Tiedema? Een stugge doordouwer was dat, stipt, op plichtmatige wijze overactief – een voorbeeld voor zijn stand. Of hij slim was, viel te bezien. Anders dan zijn voorouders stond hij bekend als star, weinig inventief. Moes meende een bijna bijgelovige angst bij hem opgemerkt te hebben voor elke nieuwe vondst op fokgebied. Nooit kon Tiedema warmlopen voor een nieuwigheid, zelden noemde hij iets 'goed' dat niet al jaren zijn nut had bewezen.

Inhalig was hij wel. Bedachtheid op eigen voordeel zat hem in het bloed. Niet dat hij op grote voet leefde, hij was eerder zuinig, op het krenterige af, behept met een spaarzaamheid die spreekwoordelijk was, want 'Wat je hebt, weet je. Wat je krijgt, niet'. Zo hij al hechtte aan wereldse welstand, dan niet om het genot, maar om het gevoel van zekerheid dat het gaf. Andermans lot liet hem onverschillig. Met zijn meiden en knechten leefde hij onder één dak – als een vreemde, en ook daarbuiten bemoeide hij zich met vrijwel niemand. Niet voor niets kon je meester Den Hollander horen klagen dat je bij de Tiedema's nooit verder dan de voetveeg kwam.

Muntte de oude Tiedema niet uit in vriendelijkheid, zoon Berend was geen haar beter. Moes had hem van kindsbeen af meegemaakt. Berend was wat drukker misschien dan zijn vader, minder mijdzaam, opvliegend soms, maar hij was nog jong, vijftien ongeveer. Een moeder had hij nauwelijks gekend. Die was al vroeg aan een galblaasinfectie overleden. Een stoet meiden had hem opgevoed, had hem gewassen, verschoond, had hem zijn natje en droogje gegeven, terwijl zijn vader de gééstelijke verzorging op zich nam, zoonlief van jongs af aan wegwijs maakte in de wereld van de boerderij en hem met veel drammen en dreinen liefde voor een arbeidzaam leven bijbracht.

Met dat al had Berend zelf maar weinig spreekvaardigheid kunnen ontwikkelen, hij had moeite zich te uiten, vond Moes. Hijzelf was karig met woorden – uit bedeesdheid. Berend was het, omdat zijn voorraad beperkt was. Maar o wee, als het jong kwaad werd. Dan barstte het los. De meisjes destijds op straat hadden gelijk gehad: een getergde Berend kon soms grovelijk oprecht zijn. Veel kwaad zag Moes er toch niet in. De ervaring leerde dat boze Berend ook altijd als eerste weer vergaf en vergat, in wezen goed van hart en kort van memorie als hij was.

Fatsoenlijke lui, vond Moes, nee, werkelijk, men zou bij hem geen onvertogen woord horen omtrent de Tiedema's. Hij was hen dankbaar, zowel vader als zoon, dat ze hem namen voor wat hij waard was, al achtten zij die waarde gering. Ze konden op hem rekenen – een trouw die niets van loze aanhankelijkheid had, zoals je dat zag bij de meesten hier bij Lodder. De stiekeme vijandigheid van zijn klasse jegens de boeren was hem vreemd, zolang er genoeg werk tegenover stond. Maar dat was nu juist waar het Tiedema aan schortte: werk, elke winter weer. Het was al mooi als je een enkele keer mocht komen opdraven om zijn poepdoos te legen.

Moes leefde ermee, hij had weinig keus. Op zijn twaalfde door armoede uit de Friese wouden verdreven en via Appingedam hierheen gebracht, was hij er gebleven, als lutjeknecht, daarna als tweede, als 'losvaste' nog wel. Over de dertig was hij, hij kende zijn Oldambtsters langzamerhand. Viel je bij ze in de smaak, dan had je het goed en anders: geen leven. En in de smaak vallen dééd je, als je drie seizoenen lang mest ruimde, bieten stak, je in het zweet werkte en ophoepelde bij winterdag.

Iemand stootte hem aan bij de schouder. In de deur naar de straat zag hij Frieka staan, de oude meid van Tiedema, te beduusd om wat uit te kunnen brengen, wars van de drukte hier. Moes moest naar haar toe en stond op. 'Wat zal 't wezen, Frieka? Zit Tiedema verlegen? Binne zien koeien aangstig?'

'Of je wilt komen,' zei ze – luidop, hoewel fluisteren genoeg was geweest. 'Tiedema hèt last. 'n Proppe in de schoorsteen. Tiedema zelf kan 't niet waachten en Berend hèt ook geen tied!'

Hij haastte zich niet. 't Zou wat! Een winter lang geen korst om op te kauwen, maar wel de reddende engel spelen...? Allang blij een cent te kunnen verdienen, dronk hij zijn glas leeg, nam zijn pet van de kachelplank en volgde haar.

De Tiedema's woonden aan de rand van het dorp, in een negentiende-eeuwse edele heerd. Een dubbele rij

beuken en een hardstenen trap voerden naar een voor-
portaal van rijk bewerkte panelen, omtimmerd met
zware houten profielen. Huis en opstallen, op zich
goed onderhouden, lagen in een nogal verwaarloosd
park dat 's zomers een uitbundig bladerdak droeg, nu
echter een schemerig zootje was van dooie takken, ui-
lenballen en duivenpoep. Eén boom was zo krom ge-
groeid dat zijn kale kruin half in de vijver hing, een
poel waarvan de altijd stille waterspiegel zwart zag
van blad in ontbinding.

Tiedema stond hem in de pronkkamer al op te wachten met zijn zoon, naast de zwart-marmeren schouw
met zijn gestucte boezem. Hij had de ramen opengezet
– nóg vulde rook het vertrek. Opgewonden legde hij uit
wat er gebeurd was: Berend had de kachel uit de ber-
ging gehaald, had hem aangesloten op het rookgat,
maar het onding wilde niet trekken. 'Nieuwigheden!'
foeterde hij, terwijl hij Moes de deur uit duwde.

Die kachel was een van de weinige zaken waarin Tiedema nu eens meeging met zijn tijd, maar hij had er
een bloedhekel aan. Op treiterig aandringen van wijlen zijn vrouw had hij hem aangeschaft, tegen wil en
dank, en daarbij met smart afstand moeten doen van
de grote open schouw, waar vele generaties zich hadden gewarmd en hun worsten en hammen gerookt en
te drogen gehangen. Nee, er moest en zou een kachel
komen van haar, beducht als ze was voor smook die
haar kortelings nog met blauwe trijp beklede stoelen
kon bezoedelen.

Ze waren de voordeur uit en stonden buiten, waar

zoon Berend al met de ladder aan kwam zeulen, hij zette hem aan de luwzijde van het huis rechtop tegen de gevel. Tiedema keek Moes aan en Moes keek omhoog, nam de houten staak en ging de ladder op, klom in de goot en vandaar schuin omhoog tegen de berijpte pannen op, terwijl de oude boer beneden aanwijzingen schreeuwde. IJzige wind joeg door zijn jumper, toen hij de nok bereikte. Even bleef hij zo zitten, de heldere verte overziend, maar hij hoorde de boer ongeduldig worden.

Met gevaar voor zijn leven wankelde hij over de nok naar de schoorsteen, hief de staak in verticale stand en begon ermee in het rookgat te porren. Maar wat hij ook porde en pookte, het lukte niet. De staak stootte op iets hards, een vlechtwerk van takken, hecht aaneengesmeed met klei en hard als een betonnen vloer. Kraaien weten wat een nest breien is.

''t Wil niet!' riep hij.

'Dan maar doorstampen!' brulde Tiedema.

'Met de voet?'

'Ja, wat anders?'

Moes liet zich in de schoorsteen zakken, zo'n meter of twee, voor hij de weerstand voelde. Hij zag geen hand voor ogen meer, maar kon nu het volle gewicht van zijn been op het obstakel laten neerkomen, net zolang tot het goedje losraakte, meegaf en – zowaar – met veel kabaal in de diepte stortte.

Zo, dat is dat, dacht hij, en wilde terug omhoog. Maar toen bleef hij steken. Bij afdaling had hij zijn linkerknie in opgetrokken stand gehad. Nu trok die knie zich bij de minste klimpoging als een weerhaak vast in het nauwe rookkanaal.

'Hé!' riep hij. 'Hé ho, Tiedema!'

Geen antwoord. Hoorden ze hem niet? Hij riep nog eens. 'Berend, help! Ik zit klem!', en begon zich weer op te duwen, maar elke poging daartoe mislukte. Ingeklampt zat hij, met nutteloze armen en benen. En niemand die het doorhad. Waar zaten ze? Zijn hart begon te bonken. Het idee dat ze hem zouden vergeten; dat ze vergeten waren dat hij hier zat, om hem misschien pas na weken terug te vinden, uitgedroogd, gerookt en wel, en zo licht als een dooie rat...

Zijn krachten dreigden het te begeven. Hij keek omhoog. De opening boven hem leek verder weg – in plaats van terrein te winnen was hij alleen maar dieper gezakt. Goed dan, dacht hij, en werkte zich verder naar beneden, wurmde zich met angst en beven een weg door die eindeloze schacht.

Tot hij licht zag dagen onder zich, zowaar vaste grond onder de voeten voelde, tussen takken en oude kranten stond, als De Schrik van Domhold zo zwart, in de mooie kamer waar Tiedema en zijn zoon als verlamd aan de koffie zaten.

4

De heerd van boer Hensius lag aan de andere kant van Kromzicht. Deze stamde uit oudere, minder praalzieke tijden dan die van Tiedema – geen boerderij met oprijlaan of hardstenen trap, maar een die zich behielp met een simpele, gelijkvloerse voordeur en die samen met de straat en het stookhok een vierhoekig erf afscheidde. Altijd was dit beklinkerde plaatsje geschrobd. De propere aard van vrouw Hensius stond daar borg voor, en het kon niet anders of je zag er wat melkbussen staan, de deksels kuis op hun kant erbovenop tegen de bakstenen gevel.

Minder pronkziek als dit huis was, zou je er toch gemakkelijk in kunnen verdwalen, alleen al in de dubbele kapschuur die Hensius' grootvader nog had laten bouwen, met zijn koeien- en paardenstallen en bovenin loopbruggen die de loze ruimten ontsloten en bruikbaar maakten voor opslag. Verder bezat het huis een onderkelderde opkamer. In die kelder werd de melk tot zuivel verwerkt. Nergens hing zoon Ludo liever rond dan daar, vooral wanneer de meid er bezig was. Urenlang kon hij naar het zeven en karnen kijken. Altijd rook hij dan een keer of wat aan de wrongel die ze aan het snijden was, en aan de meid zelf.

Boer en vrouw Hensius hadden drie kinderen. Engelbert heette de oudste. Als zodanig aangewezen om bezit en bedrijf te erven was hij met dat voorrecht toch weinig ingenomen. Hij had last van hooikoorts, zo heette het officieel. Ingewijden wisten beter. Engelbert hield niet van koeien – van paarden nog minder. Op jonge leeftijd had hij een trap van een hengst tegen zijn knie opgelopen, aan welk spontaan contact hij behalve een sleepvoet een levenslange allergie voor mestlucht had overgehouden. Hij zag weinig in een boerenbestaan. Na in Aaland de burgerschool te hebben doorlopen kon hij de beslissing niet langer voor zich uit schuiven. Hij had bedankt voor de veehouderij, kocht in Stad een huis en ontpopte zich als notaris.

Hij deed het goed, Engelbert. Na zich eerst een jaartje aan de praktijk geschoold te hebben bij notaris Hopma was hij een eigen vestiging begonnen en leefde tevreden aan de zijde van Jantje, zijn vrouw. Zo weinig had hij nog altijd op met de veeteelt en zo gering waren zijn ambities op dat gebied, dat hij veeboeren weigerde als klant, eenmaal zelfs een van zijn employés ontsloeg, omdat hij deze tijdens het werk betrapte op het drinken van karnemelk. En dat, terwijl Engelbert alles aan melk te danken had! Al wat hij was en bezat, had hij bereikt dankzij het ongehoord hoge bedrag waarmee hij zijn eerstgeboorterecht had afgekocht. Slaande ruzie hadden ze daarover gehad. Deit, Hensius' tweede kind en enige dochter, had haar broer in dezen gelijk gegeven, waarmee ze zich van vaders kant de strengste veroordeling op de hals had gehaald. Anderzijds had haar ongepaste tussenkomst voorkomen dat de betrekkingen blijvend ontwricht waren geraakt. Het mag raar klinken, maar Deits driftige aard had het principe gered. Doordat zij te ver was gegaan en het belang van de familie een ogenblik uit het oog had verloren, was de familie zelf bijeengebleven.

Deit... Een gekke naam eigenlijk. Dat vond ze zelf ook. Vernoemd naar haar grootmoeder van moeders kant had ze toch liever 'Pieternella' geheten, zoals oma Hensius. Jammer, het had de toon gezet voor de verongelijktheid die haar leven van aanvang af tekende en die met de jaren was uitgegroeid tot een openlijk beleden korzeligheid. Vóór haar trouwen was ze een bedrijvige, goed ogende vrouw geweest – nu was ze nog slechts weldoorvoed en sloofs. Haar donkere ogen, ooit mooi en lonkend, leek ze enkel van haar moeder te hebben meegekregen om er de rest van haar gezicht mee te redden, dat vlezig en zwaar van kaak was en graag van woede vertrok om niet altijd en eeuwig alleen maar verontwaardigd te hoeven kijken. Ze was getrouwd met wethouder Sijkes, om wie ze een heel enkele keer nog kon lachen, meteen maar hard en verrukkelijk, een lach die – opnieuw bij hoge uitzondering – ook andere leden van het mannelijk geslacht door de ziel scheen te gaan.

Van wie ze haar driftbuien had, was een raadsel, want wie 'Hensius' zei, zei 'gelijkmoedigheid', en ook aan moederskant zag je niet anders. Toch was ze de kwaadste niet, meende Hensius senior. Hij weet haar toevallen aan een mendeliaanse gril, even weinig verontrustend als haar te grote kinnebak. En daarbij, was ze niet goed terechtgekomen met Sijkes?

Een enkele keer, 's avonds wanneer de oude boer in de bedstee lag en zijn vrouw zich stokkerig naast hem neerliet en de slaap al leek te vatten – ineens kon hem dan de vraag ontglippen: 'Zeg, vrouw, wat denk je? Is ze content, onze Deit?'

Dan draaide vrouw Hensius zich om en mopperde: 'Ach toe, naar zulks vraag je niet' en was vertrokken.

Misschien had ze gelijk. De tijden veranderden. Meer en meer neigden de boerendochters tegenwoordig naar verburgerlijking. Ze gingen naar kostschool, volgden in Stad opleidingen voor typiste, modiste. Deit was thuis gebleven, was gebleven die ze was. Op haar tiende had ze leren melken, uitzonderlijk goed zelfs. Nooit had hij, Hensius, tevergeefs beroep hoeven doen op haar talenten, in de drukke tijd wanneer geen hand gemist kon worden op het land. Deit schrok nergens voor terug, ze had geholpen bij de slacht, had de paarden gestuurd als een man. Ooit, toen ze haar eerste bloed verloor, had ze hem bekend: 'Als 't aan mij ligt, word ik boerin.' Ze zou er alles voor overhebben, desnoods willen afzien van een huwelijk, als ze de lucht van de stal maar mocht behouden, de zorg om de dieren, de druk van de seizoenen... Arme Deit, het lot had andere plannen met haar, het wilde dat ze uit huis ging, trouwde, erger: het had haar opgescheept met een ambtenaar en een paar kinderen.

Geen kwaad woord overigens over de echtgenoot. Als man zonder bezit en, op een geëmigreerde achterneef na, geheel zonder familie op de wereld had Sijkes het toch mooi van belastinginspecteur tot wethouder gebracht. In die hoedanigheid kon hij een weifelaar zijn, schrander maar weinig ad rem, iemand die men niet gauw zou betrappen op een slagklaar besluit, niet voordat de nood het hoogst was. Maar op dat kritieke moment kon hij ook extra doortastend en vastberaden zijn en trok hij alle verantwoordelijkheid naar zich toe. Als íemand een Oldambtster was, dan hij. Ondanks – of misschien juist vanwege – die menselijke zwakheden genoot hij veel ontzag in Kromzicht en ook bij zijn dochters was hij geliefd, hoewel hij zelden thuis was. Ze woonden in de Voorstraat, in een van de weinige burgerhuizen daar, achter een mollen-doorwoeld weitje met een ovaal rozenperk.

Hensius' jongste was weer een zoon. Die was bij zijn geboorte als 'Ludo' ter akte gesteld, maar eigenlijk noemden alleen zijn moeder en zus hem zo. Voor de Kromzichters was hij 'Hensius junior' – ooit zou dat simpelweg 'Hensius' worden.

Hij mocht flink worden genoemd voor zijn leeftijd, flinker dan Engelbert destijds, en dat als nakomertje. Van wie hij het meest had, van zijn vader of moeder, viel moeilijk te zeggen. Uiterlijk leek hij op háár, had haar regelmatige trekken: markantie van neus, grote diepliggende ogen, zwarte wenkbrauwen die feilloze bogen vormden en een voorhoofd dat glad en voornaam was. Wat karakter betreft leek Ludo misschien meer op zijn vader. Vroegere Hensius-zonen hadden hun bruid traditioneel gekozen, dat is: na grondige studie van haar stamboom, aangezien voor een Old-ambtster een huwelijk nu eenmaal minder een zaak van twee harten dan van twee beurzen is. Voor Hensi-us senior was de bruidskeuze destijds ingewikkelder geweest, en tegelijk toch ook heel simpel. Die had op beide gelet: zowel op dikte van beurs als op exterieur, of zoals hij het zelf noemde: 'op stand én achterhand' – een strengheid die bij de jongste telg zichtbare sporen had nagelaten in de vorm van een bijna atletisch li-chaam, zonder ook maar een greintje aanleg tot zwaarlijvigheid, zoals je dat bijvoorbeeld bij Berend Tiedema zag.

Er was weinig dat Ludo verkeerd kon doen in de ogen van zijn ouders. Hij was hun oogappel, al konden ze hem niet altijd volgen. Hij deed het bijna té goed op school, haalde negens en tienen, maar was ook buiten schooltijd leergierig. Ludo lás geen boeken, hij ver-slond ze. Allerhande boeken – over de uitvinding van de gloeilamp, de telegraaf, over het Britse koningshuis, over Pilâtre de Rozier en andere beroemdheden uit de ballonvaart. Van Napoleon had hij vijf biografieën ge-lezen en de twaalfdelige *Winkler Prins* in de opkamer was voor hem beslist méér dan vertoon van status, hij had hem van a tot z doorgenomen.

Ja, wellicht aardde hij toch ook in dit opzicht meer naar moeders kant, althans naar de mannelijke tak er-van, naar oom Albert, die in Aaland woonde en vol-gens sommigen van zijn hobby zijn vak had gemaakt. Want in plaats van in trouwringen en een kinderwa-

gen had hij zijn goeie geld in telescopen en andere ster-
renkundige apparatuur gestoken. Het was niet te hopen dat het met Ludo die kant op ging, maar hij had
alvast veel aan oom Albert te danken. Veel van zijn
boeken betrok hij van hém, of anders leende hij ze wel
via een kennis van oom, die ook in Aaland woonde en
er gemeentegriffier en bibliothecaris was.

Senior had weinig op met die Albertiaanse trek in de
familie. Als veefokker gewend te denken in termen
van erfelijkheid was hij altijd beducht voor schadelijke
invloeden op dat gebied. Zijn vrouw zag het minder
somber. Ze had altijd een zwak gehad voor Albert,
haar enige broer, en kon er slecht tegen als Senior de
draak met hem stak, soms, na een bezoek aan Aaland
waar ze naar Alberts koffergrammofoon hadden moeten horen, naar Verdi en Cimarosa, en 'zaterdagavond-
soep' hadden gegeten, die oom Albert zelf prees en
'onnavolgbaar' noemde, omdat zijn meid die had gemaakt. En altijd werd daar wijn bij gedronken, Duitse
wijn, minimaal een Schloss Johannisburg. 'Of liever
wat pittigers, zwager? Een Liebfrauenmilch uit
Rheinhessen dan maar? En voor de zoon een aman-
delgazeuse?' Volgens Ludo smaakte die fris, maar nergens naar, of hooguit naar prikkeldraad.

Hensius gaf zich overigens maar zelden gewonnen,
wanneer Albert hen voorstelde te blijven eten en zijn
vrouw erop aandrong dat hij accepteerde. Hij zou het
niet hardop zeggen, maar hij had weinig zin in soep
waar hele knolrapen in rondzwommen. Daarbij, Albert at met geluiden en zijn meid was niet al te proper,

een bejaarde vrouw met handen als kolenschoppen. Was het gek dat Senior vóór gebruik zijn soepbord en lepel aan een kritische blik onderwierp? Albert zag het aan met een blik van geamuseerde verontwaardiging en verzekerde hem dat in zijn huis de zaken schoon waren; dat het bestek altijd 'grondig afgelikt' werd, voor het terug in de lade ging.

Altijd zwaaide oom Albert zijn meid lof toe, hij ging door het vuur voor haar – voor kritiek was hij doof. Een tweede meid in dienst nemen, zoals Hensius suggereerde? Helaas, het bleef een vrome wens, zei hij. Daarbij, hij zou toch maar de drukte niet kunnen verdragen. Hij was gehecht aan zijn meid. Wat zou hij buiten haar beginnen? Zelf de huishouding doen? Alleen al het koken van een ei vond hij 'een steriele bezigheid'.

En als ze dan het eten opdeed en Hensius achter haar rug de wenkbrauwen fronste boven de onbestemde massa op zijn bord, dan wendde oom de blik af en liet weten: 'Mmm, varkenspoot met pruimen... Die van háár zijn de beste!'

Nee, Senior was maar zelden te porren voor een etentje bij Albert, maar Ludo was gesteld op hem. In plaats van naar deze altijd wat gespannen avonden ging hij na school liever in z'n eentje bij oom langs, om boeken van hem te lenen. Maar ook wel om hem gezelschap te houden, wanneer hij door ziekte geveld was en het bed moest houden – hoewel hij wist dat oom Albert op zulke momenten buitengewoon narrig kon zijn.

'Wat scheelt eraan, oom?'

'Gaat je niks aan.'

Maar even later, toen Ludo aanbood: 'Zal ik u de krant voorlezen?', toen gaf hij geen antwoord, maar mopperde: 'Peristaltitis en een opspelende maag... Wat een combinatie! Is er iets dat een mens slechter kan verdragen?'

'Waar zit de "peristalus" nu eigenlijk bij de mens, oom?'

Toen kreeg Ludo een pantoffel naar zijn hoofd, gevolgd door kreten ontleend aan het Sanskriet. Maar je zou altijd zien dat oom Albert gauw ook weer kalm en vriendelijk werd, aanhalig bijna, en gretig begon te praten met zijn neef, over ketters, de egalitaire staat der natuur en over zijn laatste aanwinst, een kostbaar boek over vliegers, zo mooi dat hij ervoor uit bed kwam.

Sloffend duwde hij Ludo zijn heiligdom binnen, de bibliotheek, een vertrek waarvan de sjablonering op het karton van de zoldering door kachelsmook en sigarenwalm nagenoeg onzichtbaar was geworden. Het stond er propvol. Barometers, pijpenrekken, zilveren blakers... En boeken natuurlijk, in kasten van vele soorten en afmetingen. Op die kasten stond ook weer van alles: aarden urnen, gipsen reliëfs, Saksisch porselein, een perkamentkleurige kaaiman, een telescoop, het borstbeeld van een man met een tulband op: Ibn Sina de Abbasiet. Aan het kleinste stukje wand dat niet door boekenkasten in beslag werd genomen, hingen cassettes met Romeinse munten, vlinders achter glas. Fossielen stonden er uitgestald, stukken barnsteen met gemummificeerde insecten erin, kolibriveertjes in borrelglaasjes, hoopjes vuile koffiekoppen – ja, die ook, want koffie, oom dronk die 'godendrank' zonder onderbreking, vierentwintig uur per dag. Koffie, het was wat hij noemde 'de verstoorder én bevrijder van m'n rust', zoals feitelijk alles hier, deze hele obsessieve verzamelwoede zijn gemoedsrust zowel verstoorde als hem ervan bevrijdde, een negentiende-eeuwse overdaad waarin nog de huiver voor de leegte heerste. En te midden van dit alles troonde Heliogabalus, zijn kat – Ludo zag hem niet, maar hoorde hem wel ergens snurken.

Nee, oom Albert had – zoals hij zelf zei – 'beslist geen hekel aan oude rommel'. Hij was gaan zitten. In zijn nachthemd keek hij toe hoe Ludo gulzig alles in zich opnam. Hij liet zijn neef naar hartenlust grasduinen in zijn boeken, veelal dure gestempelde banden in neoklassieke stijl en in de vreemdste talen, Urdi, Swahili, Portugees, maar ook eentje in Oudnederlands: *Die Gheestelike Brulocht* van Ruusbroec. Verder veel Europese werken, van Kepler, Swedenborg, de profetieën van Nostradamus.

Naast mystieke en fysiologische werken stonden er historische, over beroemde alleenheersers en dergelijke, despoten die volgens oom grote rijken hadden gesticht en voorspoed brachten en dronken van macht hun leven lang op zoek waren naar steeds nieuwe redenen om rotzooi te trappen, waarbij ze hele volkeren over de kling joegen...

Ludo had vooral oog voor een zwaar boek getiteld *Over edelgesteenten en hoe ze te herkennen*, vanwege de kleurendrukken erin, van bloedsteen, melkagaat en blauwe toermalijn. Maar het meest boeide hem toch ooms laatste aanschaf, een kleurig boek over vliegers in heden en verleden, en hoewel hij dit keer enkel voor oom Albert zelf was gekomen, vroeg hij het te leen. Dat was goed, maar eerst deed oom er een pakpapieren kaft omheen. Want zo onvoorzichtig als hij omsprong met zijn gezondheid, zo zuinig was hij op zijn boeken. Al deze werken en voorwerpen namen een plaats in in zijn hart, en al deze spullen koesterden zich op hun beurt in zíjn genegenheid. Meer verlangde hij niet. Hij kreeg weinig bezoek en kwam nauwelijks buiten. De kloof die gaapte tussen hem en de rest van het heelal was voor hem een gegeven even absoluut als de oerknal. Zijn studie vereiste diepe concentratie, en zijn concentratie kón diep zijn, akelig diep, misschien wel dieper dan zijn zucht naar kennis groot was. Als oom Albert werkte, was zijn kat heel eenzaam.

Thuisgekomen stak Ludo zijn kennis niet onder stoelen of banken. Er slopen anomalieën in zijn woordgebruik, die vader en moeder blikken deden wisselen. ''n Knappe kop' noemde meester Den Hollander hem tijdens huisbezoek. Zelf gaf Ludo de voorkeur aan de term 'monomaan'. Zijn vader grinnikte: 'Veelzijdig monomaan dan wel' – passend, want nog geen week later was Ludo weer weg van heel andere dingen en zou hij wereldreiziger zijn geworden als hij geen boer was, en Amerika ontdekken, als Columbus hem niet voor was geweest.

Aan hem de taak het familiebedrijf voort te zetten, nu Engelbert rijk was geworden door voor de eer te bedanken. Zijn vader bereidde hem erop voor, niet zoals Tiedema dit zíjn zoon deed: met dreinen en dwingen, nee, heel terloops, zoals het uitkwam, zonder hem achter de broek te zitten.

Senior had er vertrouwen in. Als kleuter was Ludo 's nachts vaak jankend uit boze dromen wakker geworden, getekend als zijn eerste jaren waren door bronchitis en een zwakke gezondheid. Hij, Senior, was uit bed gestapt om het kind in slaap te sussen. Dat was altijd gelukt, het zou ook nu wel lukken hem in het rechte spoor te houden. Dat Ludo beroemd wilde worden door op klompen Amerika te ontdekken, ach, hij deed het af als blijk van een jeugdige, nog al te ontvlambare verbeelding. Zolang Ludo op z'n tijd eigener beweging de handen uit de mouwen stak en in plaats van zijn leeshonger te stillen meehielp in de stal, liet Hensius hem geworden, op school, thuis, waar ook.

Het spreekt voor zich dat niet iedereen in Kromzicht dit door dezelfde zorgeloze bril zag. Hoewel men de jonge Hensius in alles 'de zoon van een boer' noemde, stoorde menigeen zich aan zijn eigenaardige uitdrukkingen. Men zou het niet gauw zeggen, maar het zat er bij de Oldambtster toch diep in: wie zijn moeders taal vergat, deed dat weldra ook zijn beste vrienden.

5

Tegen de avond liet Hensius zich als gewoonlijk neer op zijn stoel bij de keukenstoof – een schommelstoel zonder armleuningen. Met het hoofd rechtop, de knokige handen ineen op schoot wiegde hij zachtjes naar voren en achteren, zijn ogen op het schap aan de wand gericht, waarop een kraantjespot prijkte, een zilveren koffiekan met dito komfoor: trofee van *De Oldambtster Bond voor de Rundveefokkerij.*

Erg te spreken over zijn gezondheid was hij de laatste tijd niet. Het werk viel hem zwaar, ook al gaf hij dat zichzelf niet toe. Hij zou deze zaken toch eens met zijn zoon moeten bespreken. Ja, waarom niet meteen? Maar hij bleef zitten, dacht aan zijn vee – met een tevredenheid die aan geluk grensde, wat onverlet liet dat de bezorgdheid wakker bleef in zijn hoofd.

Wie was het die had beweerd dat Hensius senior op zijn koeien nog trotser was dan op zijn land? Dokter Vinkhuizen? Meester Den Hollander? Wie het ook was, hij had het volste gelijk. Van elk dier kende Hensius het eigene, elk dier was 'een individu' voor hem. Anders dan de Tiedema's, die meerdere rassen met elkaar kruisten, had Hensius en hadden ook zijn ouders en voorouders altijd met één ras gewerkt: zwartbont. 'In het ras fokken' noemden ze dat. En in het ras fokken had hij gedaan en zou hij blijven doen, hoezeer de Tiedema's ook mochten beweren dat kruisen van meerdere rassen veiliger was en een hoger percentage melk en vlees opleverde.

Niet dat de Tiedema's nooit in het ras hadden gefokt. Er was zelfs een tijd dat zij voortreffelijke stallen hadden en hun stieren beroemd waren van Harlingen tot diep in Ost-Friesland. Bij fokken in het ras moet men evenwel oppassen, niet meteen een broer op een zus zetten en dergelijke, kortom: terughoudendheid betrachten en weten waar het ophoudt. Maar een Tiedema zijn en tegelijk terughoudend? Vergeet het maar. Uit winstbejag hadden ze zozeer dóórgefokt, dat de hoge kwaliteiten van hun dieren binnen de kortste keren teniet waren gedaan. Volgende generaties hadden zich gedwongen gezien het verlorene elders te zoeken, ze waren meer en meer op wilde kruisingen overgegaan. Dat daardoor een ongehoord groot aantal mendelsplitsingen optrad en vrijwel ieder dier van het andere verschilde – ach, het stoorde Tiedema niet, hij nam het niet zo nauw. Was hij zelf niet een boer die met een burgervrouw was getrouwd?

Maar wat ging dit alles Hensius aan? Hij had wel wat anders aan zijn hoofd, hij had zijn eigen zorgen en wilde die met eigen volk delen. Waar zou hij uithangen, Ludo? Hij kwam op uit zijn stoel en liep de gang in, naar de bedstee daar, in de veronderstelling dat de jongen daar wel weer zou zitten lezen, omdat het zijn lievelingsstekje was, rustiger dan in de keuken en toch warm, onder de zolder waar het hooi lag opgedaan.

Hij was er niet. Op zijn gemak wandelde Hensius toen buitenom naar de melkkelder, wetend dat Ludo daar graag naar het karnen stond te kijken, en naar de meid zelf. De deur stond aan, maar er was niemand. Onwillekeurig bleef Senior een ogenblik staan op de drempel, opgehouden door de vliegen die op de schalen met romende melk afkwamen. Ze leken zich weinig aan te trekken van het vliegwerend blauwsel waarmee hij nog onlangs de kalkwanden had laten bestrijken.

Terug in huis hoorde hij de meid in het spoelhok bezig. Ze stond de melkbussen te wassen die juist van de zuivelfabriek waren teruggekomen. Het doel van zijn missie vergetend liep hij de stal in, hij kon het nooit laten even langs zijn koeien te gaan. Niets ging hem meer aan het hart dan zij – groot financieel belang was ermee gemoeid. Toen hij bij zijn paarden kwam, begroetten die hem met gehinnik – dieren die de trekkracht leverden voor zijn welvaart. Op de terugweg naar zijn stoel bij de stoof passeerde hij het ongedorste graan dat er tot de nok toe lag opgetast, en stak de dorsvloer over. Die werd niet meer gebruikt sinds invoering van de dorsmachine. De tijden veranderden. Maandenlang was het werk daar doorgegaan, vanaf de oogst tot diep in de winter, werk dat nu in een week was bekeken door anderhalve knecht.

Daar trof hij Ludo aan, achter het wiel van een kar die er geparkeerd stond, geknield op de zware dorsbalken, in een trui die van Engelbert was geweest en hem

maten te groot was. Hij was een vlieger aan het maken.
Latjes, touw... Het pakpapier had hij zeker bij bakker
Christiaanse vandaan.

'"t Wordt laat, jong, om 'm nu nog uit te proberen.'

'Vroeg of laat, vliegen zal-ie,' zei Ludo, zonder op te
kijken.

Senior lachte schor. Het deed hem deugd weer eens
bevestigd te zien dat zijn zoon, als die eenmaal zijn
zinnen ergens op had gezet, dat plan ook met geduld
en ten einde toe uitvoerde.

En zoals altijd wanneer iets hem deugd deed, begon
Senior over zijn koeien, als waren die en Ludo's vlieger
en Ludo zelf aanzichten van een en hetzelfde geluk.
'Zie onze Pollux toch 'ns staan,' zei hij vertederd. 'Zie
'm toch 'ns rustig staan eten daar. Hij heeft z'n werk
gedaan, Ludo. Kijk 'm 'ns mooi rustig staan daar, terwijl Klaske en Dina dikker worden.'

'We mogen de Here dankbaar zijn,' zei Ludo maar
alvast, wetend dat die ontboezeming vroeg of laat zou
komen.

'Zo is 't maar net, jongen,' zei Senior. 'Ik hoor 't m'n
vader nog zeggen: 'n goeie stier is de halve kudde. M'n
vader, kerel! Die had verstand van vee! Als íemand 'n
lintje verdiende, dan hij. Hij gaf zijn stieren enkel haver, zodat ze sterk werden en geen vet aanzetten. En
altijd plaatste hij ze in 'n ruime box, net als wij, afge-
zonderd van de koeien, niet al te dichtbij, maar ook
niet te ver af, want je weet: dat roept boosaardigheid
op. M'n vader, goeie god, dat was nog 'ns 'n fokker!
Voor wat de paarden betreft werkte hij met verschil-

lende rassen: zwarten, bruinen en vossen. Maar bij 't rundvee heeft hij zich altijd aan één slag gehouden: zwartbont, net als wij, gisteren, vandaag en morgen.'

Dat was niet nieuw voor Ludo. En je zou zien, altijd greep Senior zo'n moment aan om zijn opvattingen naast die van boer Tiedema te leggen, een verschil van dag en nacht dat zich, naar men zei, baseerde op een lange traditie. 'Laat Tiedema maar doen,' zei Hensius. 'Die zet 'n stier 's winters rustig naast 'n paard, dat is handiger bij 't voederen. Nooit doen, zoon. Paarden stellen misschien geen hogere, maar wel ándere eisen dan koeien.'

'Knoeiers zijn 't,' mompelde Ludo, te zeer verdiept in het werk van zijn handen om er serieus op in te gaan.

'Zo is het maar net, jong. Wat ze bij Tiedema ook zeggen, let maar niet op ze. Ze hadden landbouwer moeten worden, destijds na de veepest van achttien-tien.'

Openlijke onmin hadden ze nooit gehad, Senior en Tiedema. Wél hadden ze elkaar al een leven lang geamuseerd bekeken. Vroeger had Tiedema nog wel gebruikgemaakt van stieren uit de stal van Hensius, zonder hem daarmee meteen als superieur te erkennen op fokgebied. Ook van díé nabuurgewoonte was hij afgestapt, een besluit dat de overgang markeerde naar de houding van nu, van gereserveerdheid en leedvermaak – overgang naar die 'traditie' waarvan in Kromzicht, op het late uur onder de beuk bij het kerkhof, sprake was, die traditie van stille minachting tussen de twee boeren, van commentaar achter gesloten deuren.

Nu kreeg Ludo het hele verhaal weer te horen, van fokken met meerdere rassen en zo, en hoe verderfelijk dat was. 'Jij bent 'n Hensius, jongen. 'n Hensius fokt ín 't ras! Nog altijd de beste methode om tot meer dan gemiddeld vee te komen. Tiedema doet maar raak, alles op elkaar, zwartbont op roodbont, blauwbont op vaalbont, blaarkop op witrik...'

'Waarom niet 'n keer op 'n eemlander, pa?'

'Fokken is geen gokken, jong, dáárom.'

Leedvermaak genoeg tussen Hensius en Tiedema, wisten de Kromzichters. Maar onmin? Nee, het zou een hele toer zijn daarvan bewijzen te vinden – of het moest die ene keer zijn geweest bij de nieuwjaarsborrel in Het Kromdiep. Hensius gaf graag op over zijn vee, echter nooit bij dat soort gelegenheden, om Tiedema niet te bruskeren. Maar burgemeester Dröve, die méér dan een nieuwjaarsborrel ophad, vergaloppeerde zich. Waar Tiedema bij stond, sprak hij in uiterst lovende termen over de raszuiverheid van Hensius' koeien. 'Ach wat,' had Tiedema de schouders opgehaald, 'roodbont, zwartbont, blaarkoppen... Blèren doen ze allemaal, als ze van hun moeke worden gezet' – het zou de eerste en enige keer zijn dat Senior zich publiekelijk uitliet over Tiedema's veestapel. Hij had Dröve dat vee warm aanbevolen als zijnde 'een verzameling bestendige bastaarden' – typering die, vreemd genoeg, rust had gebracht. Sindsdien hadden hij en Tiedema nooit meer woorden gehad, want ze hadden nooit meer met elkaar gesproken.

'Zeg, zoon,' onderbrak Senior zichzelf, 'de dagen

korten. Ik hoor dat Moes weer vrij man is.'

'Wie?' deed Ludo onnozel.

'Tiedema's voorman. Als je 'm ziet... Je moest 'm 'ns polsen over wat hij van plan is. Laat 'm maar komen van de winter.'

'En Tiedema dan?'

Driftig zijn hoofd schuddend liep Senior weg. 'We kunnen geen betere krijgen, Ludo,' zei hij. 'Ik loop niemand voor m'n plezier voor de voeten, maar als 't niet anders kan...'

6

IJzige kou joeg door de Voorstraat. Moes stak zijn hoofd diep tussen de schouders. Een enkel raam was al zwak verlicht, op de meeste plaatsen moest het eten al gedaan zijn. Het waren de dagen van schijn en bedrog. 's Middags had er nog warm purper over de akkers gelegen, in een boomtop blonk goud. Maar nu hij hier liep bij schemer, deed bitse wind hem rillen.

Het zat hem niet mee de laatste tijd. Een zomer lang afgebeeld en werkeloos bij winterdag... En nu had Tiedema hem weer laten komen vandaag – een hengst met een doorgesleten hiel dit keer. Moes had het dier naar Wildvang gebracht, had het daar zelf moeten beslaan in de werkplaats, aangezien Wildvang met verhoging in bed lag. En wat had hij gevangen voor de moeite? Geen cent. Tiedema had de beurs in zijn zak gehouden.

Terug van Wildvang was hij het jong van Hensius nog tegengekomen. Juist leidde hij het paard bij de halster, toen Ludo kwam aanslingeren op zijn fiets, een zot Engels strohoedje op zijn hoofd en onder zijn arm een vlieger.

'Zo, Ludo, je heb er de zonnehoed bie op?'

Ludo stopte. ''n Oldenburger?' vroeg hij, de hals van het paard bekloppend. 'Nog altijd in de zorg bij Tiedema?'

'Zo half en half. De kou zit in de locht, en Tiedema waarkt en waarkt, maar zien volk verhongert bie winterdag.'

'Waarom probeer je 't niet 'ns bij Senior? Je weet maar nooit. Vanavond. Trek aan de bel, ik doe wel open.'

'Kweet niet,' had Moes gezegd, maar Ludo slingerde alweer weg op zijn fiets. Op zoek naar een andere stee? Een hele stap. En bij Hensius nog wel! Twee minuten lopen, maar Tiedema zou het hem nooit vergeven, zou hem van z'n levensdagen niet meer aankijken. Maar wat dan? Schikken en slikken maar weer?

Bij Hensius hingen de gordijnen al voor de vensters. Met kloppend hart trok Moes aan de bel, eenmaal – het was alsof hij er zijn doodvonnis mee tekende.

Ludo deed open en liet hem binnen, bracht hem naar de keuken waar de familie bijeen zat. Meteen al daar! Bij Tiedema was hij nooit verder dan het spoelhok gekomen!

Vrouw Hensius zat naast de stoof op een hoog weversbankje met drie naalden een kous te breien. Boer Hensius zat tegenover haar in zijn schommelstoel en leek te slapen, zijn kin hing op de borst. Aan zijn voet hief de oude teef vals haar kop.

Ludo was weer aan zijn huiswerk gegaan onder de tafellamp, zonder hem een stoel aan te bieden. Met de pet in de hand wachtte Moes af of vrouw Hensius iets zou zeggen. Dat deed ze niet, ze keek niet eens op. Boer Hensius evenmin.

De gordijnen voor de vensters waren grof bestikt. De deur van de bedstee stond aan en Hensius sliep en zijn vrouw breide. Wat te doen? Moes wist het niet. Zijn ogen zochten hulp bij Ludo, maar die ging stug door met schrijven, zijn neus dicht op het papier. Zijn zwarte haar glom onder de tafellamp.

Wat had dit te betekenen? Het leek wel of ze hem op de proef stelden, zijn durf en zelfstandigheid testten; of ze met z'n drieën wachtten op zíjn initiatief. Bij die gedachte schepte hij moed, richtte zich tot de slapende boer, schraapte de keel en vroeg luid en duidelijk: 'Of-u nog belang bie waark hèt!'

Even wierp Senior het hoofd op. 'Wààrk,' wauwelde hij met slaperige stem het woord na, en knikkebolde weer.

'Deze winter al, pa?!' riep Ludo verrast.

'Wínter-al,' balkte Hensius, en de kin zakte weer. Waarmee nóg niets duidelijk was voor Moes. Was dit een bevestiging of praatte de oude boer maar wat in zijn slaap?

Toen veerde Hensius plotseling op, met verschrikte blik, en vroeg: 'Zei ik wat, Ludo?'

'Met ingang van heden, pa.'

'Ho maar,' knipperde hij met zijn ogen, 'wie hebben we daar? Moes, kerel! Hoe is 't bij Tiedema?' en zweeg weer, alsof hij nadacht, zich iets herinnerde, iets dat hij nog had willen zeggen of vragen. Of sliep hij weer? Moes zag zijn goede verwachtingen alsnog beschaamd worden.

En vrouw Hensius breide maar. Eén sok was al af, zag Moes. Die lag bij haar voet in de wolmand.

'Bent al aan de tweede bezig,' zei hij. ''t Schiet op.'

Even keek ze op van haar werkje. 'Eén sok is geen,' zei ze.

Haar ogen waren nog verbazend helder. Toch had ze ook iets gemelijks in het gezicht, iets dat haar op het gemoed scheen te wegen. Nukkig vouwde ze haar breiwerk op, schoof van het bankje en gebaarde hem met een elleboog bij Ludo aan tafel. Daar spreidde ze een theedoek voor hem uit en kreeg hij koude gort voorgezet, een vol bord, zonder erom te hoeven vragen! – zure gort, product van eigen bodem. Zonder ernaar te vragen wist vrouw Hensius dat hij honger had.

Zijn hoop leefde op. Zou het dan tóch? dacht hij. Toen de oude teef opkrabbelde en hem humeurig kwam besnuffelen, wist hij het zeker: ik heb weer 'n dak boven m'n hoofd.

7

Zo werd het, in naam van de vaderlandse veeteelt, dus weer 'armen uit de mouwen' voor Moes – gelukkig wel, er was weinig overreding toe nodig geweest. Vóór vijven op en voortmaken. Te zwoegen hoefde hij niet, maar er was altijd wel wat te doen: teer lakken, geulen graven, een hek repareren, dat alles naast het gewone werk van melken en mest kruien.

Senior bleef gedurig in de buurt. Ook hij was naar de geest des tijds streng en veeleisend, niet guller dan Tiedema, wanneer op het eind van de week de beurs te voorschijn kwam. Maar Senior was ook goed, in de ruimste zin van het woord. Je had honger, had het koud, had genoeg opzijgezet om net niet te creperen, en kijk, Hensius bezorgde je werk en onderdak.

Dat Moes geleidelijk ook andere motieven begon te ontdekken voor deze menslievendheid, deed daar niets aan af. Hensius stelde vragen. Over Tiedema. Of hij spint gebruikte in plaats van haver. Of het waar was dat hij zwak lacterende dieren afmaakte. Explosief materiaal, vragen waar je licht de vingers aan brandde. Moes ontweek ze – hier kwam zijn zwijgzaamheid van pas. En wat merkte hij? Het werd gewaardeerd door de oude.

Hensius was goed, al mocht hij nieuwsgierig zijn. Met mild gezag bestierde hij zijn erf en zou zelf geen druppel minder zweet vergieten dan zijn knechten. Vroeger al, wanneer hij een varken slachtte – nooit was hij de arbeider vergeten, en 's zomers kregen zijn maaiers opdracht een aartje te laten liggen op het veld, zodat ook het volk wat had. En altijd tijd voor een praatje, de oude Hensius. Wanneer Moes hologig van vermoeidheid terugkwam na een dag ploegen – altijd een bemoedigend woord: 'Ja, knecht, 't is zwaar land. Maar rijk aan mineralen...'

En wanneer ze gezamenlijk werkten, klei delfden achter op het land, in het stookhok voer kookten voor de koeien, dan kwam Hensius woorden tekort bij wat hij te vertellen had: dat hij geen landbouwer was en het ook nooit zou worden, geen akkerbouwer pur sang zoals de meeste Oldambtster boeren, die dat beetje vee dat ze hadden als een noodzakelijk kwaad zagen en het slecht verzorgden, en dat enkel om mest te hebben voor hun bouwland, en boter, kaas en vlees voor eigen consumptie...

De wind draaide naar de westhoek, het begon naar dooi te ruiken, en Moes werkte, omdat hij niet stil kon zitten. Eenmaal vond hij een kanonskogeltje in het land, iets groter dan een knikker. Een week later zelfs een berentand, uit de tijd zeker dat het Oldambt nog aan Litouwen grensde. Hij zou het Ludo vragen.

Als altijd sliep hij in het stro, maar eten deed hij binnen, met z'n allen aan de grote tafel in de keuken, waar

vertrouwde geuren hingen, van stoet en koffie 's morgens, van gedroogd spek, doorzwete klompen, bijen-
was, gepoetst en gekoesterd koper, precies zoals bij
Tiedema in de gang, niet anders feitelijk dan bij alle Oldambtster boeren. Geuren van welstand en deftigheid –
andere uitwasemingen had zijn neus nauwelijks verwacht, maar hier viel het hem op, wellicht vanwege het
vreemde apothekersluchtje dat Ludo meebracht uit het
achterhuis.

De sfeer aan tafel was goed, vrij, alles van eenzelfde
bedaarde ordentelijkheid als in de stallen en op het erf.
Ludo mocht wat buitenissig in zijn woordkeus zijn –
storend vond Moes dat niet en de kost was goed. Elke
dag wat anders: aarpel met zwijnenbraad of bloed-
worst met peren, en elke dag zure gort. En dan te be-
denken dat hij tot voor kort nog uit een krant at, bij de
dieren in de stal: roerom met gesmolten vet in een kuil-
tje.

Buiten wachtte het werk op hem, altijd – hij was de
knecht. Voorlopig zat hij hier, op zijn vaste plek aan tafel. Even was de scheiding tussen boer en personeel
weggevallen en hoorde hij erbij, bij deze mensen met
hun warmte en ijver, bij deze dampende stoofpot. Even
kon hij zich mede-eigenaar weten van de gedroogde
appeltjes op de vloer, van de eieren in de mand met het
dons er nog aan, van de erwten op zolder, de pekelkuip
in de kelder, de glazen potten met winterjannen en
steenperen en krieken op armagnac – even was het alsof dit alles ook hem toebehoorde, ja, of hij het in rechte
meebezat.

Na de afwas schoof vrouw Hensius haar bankje bij het raam en las *De Aalander Bode*, met bijziende, maar altijd heldere, bezige ogen. Haar broer in Aaland keek net zo, de gelijkenis was frappant. Heldere ogen waren het kenmerk van haar komaf, zei men, grijs of zwart, maar altijd ogen die wilskracht uitstraalden, onwil te buigen voor elk soort tegenslag.

Boer Hensius was anders. Die zat na de koffie liever naar zijn trofee te staren, lichtjes schommelend in zijn stoel. Zijn blik mocht daarbij een lichte neiging tot ernst en bespiegeling te zien geven – altijd was het ernst met een knipoog. Het stoorde vrouw Hensius niet, noch dat ze blind was voor de gebreken van haar man. Ze vond dat zijn wijsheden soms wel erg dicht bij spot kwamen. Wat wilde je? Een leven lang had Hensius met vee gewerkt en veel dierlijk leed gezien. Hij had zijn droge humor beslist niet dáár, in de stallen, opgedaan, maar op de veemarkten van Bugaasterveen en Aaland.

Veel geestelijke vorming scheen de oude Hensius niet te hebben. 'Om te huilen,' beweerde Ludo. Helemaal achterlijk vond hij zijn vader toch ook weer niet. 'Niemand heeft 'n hardere kop dan Senior,' verklaarde hij bij herhaling, 'en tegelijk zal niemand vlugger 'n goeie mening opgeven, als iemand anders 'n betere heeft – iets dat overigens nooit voorkomt.'

8

Berend Tiedema wilde balletje gaan trappen op straat,
maar zijn vader riep: 'Jong, je moet de zeug nog voeren!' Berend stopte, sukkelde terug en ging de stal
weer in.

'O, en doe de kalveren meteen nog maar wat warme
melk,' zei zijn vader. 'Maar de gráskalveren niet. Die
krijgen knollen vandaag.' En dus voerde Berend de
zeug, gaf de kalveren warme melk, maar de graskalve-
ren niet. Die gaf hij knollen vandaag.

Hij was traag, Berend, gesloten, niemand hoefde
hem dat te vertellen. Praten had hij niet geleerd. Bang
bespottelijk te worden gevonden meed hij uiting te geven aan die diepere gevoelens waarvan meester Den
Hollander altijd sprak, als het over de Oldambtsters
ging. Veel gelegenheid om zich te uiten had hij ook niet
gehad, als enig kind van een vader die altijd het hoogste woord voerde, en een moeder die hij nauwelijks had
gekend en – wie weet – juist daarom vagelijk vereerde.

Zijn vader sprak nooit over haar. Om hém te ontzien? – hij kon het zich niet voorstellen. Zo kies was
zijn vader niet.

Miste Berend haar? Moeilijk te zeggen. Hoe kon hij
iets missen dat hij nooit had bezeten? Hij had alleen

meiden gekend en daar was niets mis mee, hij was niets tekortgekomen, niet het geringste. Wanneer hij de meid in de keuken gesmolten suiker over de broodpudding zag gieten, dan zou die pudding uiteindelijk wel net zo lekker gesmaakt hebben als wanneer hij dat werk door zijn moeder had zien doen.

Wel stoorde hij zich aan het gepraat in Kromzicht: dat zijn moeder 'slechts' van burgerlijke, zij het welgestelde afkomst was. Dat ze niet al te snugger was en weinig geliefd bij de mensen en daarom diepgelovig – hij deed het af als alle achterklap: met verbeten woede. Bij haar huwelijk zou zij het leven van boerin op de koop toe hebben genomen, het als een bijkomstig kwaad hebben beschouwd en er uiteindelijk weinig vreugde aan hebben beleefd. Toen met de komst van de zuivelfabriek het karnen door machines werd overgenomen en alle boerenvrouwen daartegen in opstand kwamen, acties organiseerden en weigerden die traditionele vrouwentaak uit handen te geven, zou zijn moeder de nieuwigheid juist hebben toegejuicht – nou, het ging er bij Berend niet in. En wat hij Wildvang ooit had horen rondbazuinen, toen deze hoge koorts had: dat zij de vuile was buiten hing bij De Vrijzinnig Evangelische Gemeente in Aaland en dat zijn vader haar meer dan eens had moeten bezweren dat niet te doen – ook dat weigerde Berend te geloven. Hij stoorde zich mateloos aan die roddelpraatjes. Zijn vader zou haar getrouwd hebben, toen zijn vee in een crisis verkeerde. Nou en? Was dat schande? De geldmiddelen waren schaars toen. Nu nog trouwens.

Behalve wat geld had Berend van zijn moeder vooral haar heetgebakerde temperament geërfd. Traag en mijdzaam als de mensen hem vonden, was hij toch ook lichtgeraakt. Eenmaal getergd brak het los, de meisjes op straat wisten ervan. Hijzelf ook, hij wist hoe weinig controle over zijn fysieke kracht hij soms had en hoe los zijn handen zaten. Maar hij was veranderd. Op school had hij ooit het armpje van Ludo Hensius uit de kom gedraaid, een wandaad waarvan hijzelf nog het ergst geschrokken was. Ludo was mak genoeg geweest om het niet aan de grote klok te hangen. Toch had het Berend te denken gegeven, het had hem geleerd zich te matigen.

Voor zijn vader had hij niets dan respect, hoewel ook dat traag was gekomen. Op school had hij van alles opgestoken over veeteelt – hij, zijn vader, had hem het vak geleerd, hem geleerd wat 'aanpakken' was, al doende, met de emmer in de hand, alleen zijn vader vertrouwde hij als het om vee ging. Alleen zijn vader wist welke kar hooi ze als eerste gingen opvorken tot onder de balken. Alleen hij wist wanneer het tijd was om te schaften en wat er op de boterham zat. Alleen van hem accepteerde Berend het, wanneer hij, juist op het punt om te gaan voetballen, te horen kreeg: 'Jong, je moet de zeug nog voeren.'

Maar daarna, zodra de kippen op stok waren en zij tweeën binnen zaten, vóór aan de ovale tafel... Altijd zou je dan zien dat vader hem een extra portie rolpens opschepte. Rolpens was goed na het werk, als je je vader mocht geloven, rolpens was goed voor de ontwikkeling der spieren. Rolpens had niets gemeen met dreinen en dwang, behalve dat het dezelfde uitwerking had: een brave, oergezonde jongen, genaamd Berend Tiedema.

Aan tafel sprak vader niet over veeteelt. Dan hoorde Berend hem liever de Here God aanroepen, steen en been klagen over de kou buiten, de winter die bleef duren, de kalkafzetting in zijn heupen, het korte verwijlen van de mens in deze armzalige wereld – aan tafel luchtte vader zijn hart bij hem.

Even vlug brak zijn vader de gal dan weer op en begon hij te foeteren, op de graanprijzen tegenwoordig, de kwaliteit van de turf, het onfatsoen alom, de ontrouw, het verraad van zijn beste knecht, te kankeren op bepaalde hoogwaardige personen – hij zou geen namen noemen –, zekere gerespecteerden in dit dorp, die niet wisten waar hun bezittingen ophielden.

En als hij uitgeraasd was en stilviel, dan nam Berend op vaders verzoek de stallantaarn en bracht de vaarzen nog wat erwtenstro. Vader zou wel weten waar het goed voor was. Vader had het beste met hem voor, keek vooruit voor hem, bekommerde zich om hem. De kleinste zaak zag hij in groter verband: de toekomst van zijn koeien.

Terug uit de stal nam vader hem mee naar de hoek van de kamer waar opzij van het raam de grote lessenaar stond, om er de dagelijkse boekhouding te doen – Berends zwakke punt. Hij hoorde zijn vader praten, over geldmiddelen, geldontwaarding, een bedrijfsvoering die aan rationele eisen voldeed. Hij luisterde oplettend, deed zijn best om het te volgen – ook dat moest een Tiedema tenslotte kunnen. Even deed de moed waarmee hij de leerstof trachtte te begrijpen hemzelf versteld staan. Het was een van die zeldzame momenten dat hij tot plots zelfbesef kwam, iets van trots of dankbaarheid voelde voor het feit dat hij als zoon van een rijke boer ter wereld was gekomen.

Zodra de boekhouding was gedaan en de blinden de wereld buitensloten en vader zich eindelijk, met zoete koffie en een Schimmelpenninck, in zijn stoel bij de kachel nestelde, zich terugtrok in eigen gepeinzen en híj, Berend, zijn cacaomelk dronk, dan dacht hij: wat kan ik méér wensen?

En toch, zo om zich heen ziend, naar het boek dat zijn vader las, naar de paars-satijnen bewanding, *De Arenlezers* achter glas, het wit porseleinen pronkstuk op de kast dat daar met liefdevolle hand leek weggezet, dan was het hem plotseling te moede of er iets ontbrak aan dit vertrek. Wanneer hij de klok in de gang de minuten hoorde wegtikken en zijn vader een bladzijde hoorde omslaan – vagelijk meende hij dan ook te weten wat het was dat deze kamer miste, ja, dat zijn leven onvolledig maakte: een zachtere aanwezigheid wellicht.

9

Op zondag werd er bij Hensius alleen gevoederd en gemolken, voor de rest lag het werk stil. Na de middag
kon het gebeuren dat Senior zijn knecht liet weten het
op prijs te stellen als deze hem wat gezelschap zou
houden in de keuken, een kaartje met hem legde, een
jenevertje meeproefde desnoods, aangezien zijn vrouw
met de dag zwijgzamer werd en niet stil kon zitten,
steeds in de weer bleef tussen de stoof en het theekast-
je en alsmaar naar buiten liep om eieren te zoeken op
het erf, vergeefs, aangezien kippen nu eenmaal niet om
het halfuur leggen.

Hensius bleek bij deze zondagse jenevertjes een ongewone mededeelzaamheid aan de dag te leggen, vooral als het over vroeger ging. Haast al te gretig gaf hij
zich over aan de stem van het verleden, naar zijn zeggen 'een grijze glorie van erfelijke mislukkingen en
moeizaam bevochten successen'. Veel stak Moes op
van de brokken kennis en ervaring die de oude boer
hem toewierp, over in het ras fokken en dergelijke, en
over de historie van zijn geslacht. 'Nu goed, knecht,'
vatte hij samen, toen zijn vrouw een zucht liet horen,
'ik ben hier in Kromzicht niet de enige die van Mendel
heeft gehoord. Ook Tiedema heeft het nut van de erfe-

lijkheidsleer ten slotte ingezien. Alleen laat de toepassing daar nog veel te wensen over.'

'Gewis,' zei Moes op zijn hoede.

'Je weet 't misschien al wel en daarom hoef ik 't niet nog eens te zeggen, maar dé moeilijkheid bij het fokken is: geduld hebben, afwachten, soms jarenlang. 't Is nu eenmaal zo: de nakomelingschap erft weliswaar de grondslag over van de ouders, dat is te zeggen: *de aanleg* voor de eigenschappen, maar niet altijd de eigenschappen *zelf*. Die komen vaak pas generaties later aan het licht, en vaak blijken 't dan ook nog ongewenste.'

''t Blieft laastig,' zei Moes.

'In 't zwartbont van m'n vader, kerel! Daar is op 'n dag 'n róód kalf geboren. Eenmaal zelfs 'n ongehoord dier. M'n vader, die heeft wat gezien aan overerfde narigheid! Voortijdig werpen, buldogkalveren... Maar hij heeft alles overleefd, heeft rond de eeuwwisseling zelfs de meest beroerde grondslag weten weg te werken die je maar kunt hebben: stille kolder...'

Hij moest abrupt afbreken, de bel in het voorhuis galmde, tumultueus, tweemaal achter elkaar. 'Daar zijn ze,' zei vrouw Hensius, en ze liep naar voren.

Jolijt van heldere stemmen klonk op de gang, geklik van rennende hakken. Twee meisjes kwamen binnen, Do en Klazien, op zwarte lakschoentjes. Ineens schijnheilig, toen ze grootvader zagen, bleven ze bij de deur staan, Do met een griffeldoos onder haar arm, Klazien met haar pop. Geraffineerd onschuld veinzend bleven ze staan draaien om hem hun nieuwe jurken te laten zien, alle twee wit en met een strik vanachter.

Achter hen aan kwam moeder binnen, vrouw Sijkes oftewel Deit, met Wapko op de arm, haar driejarige peuter. 'Niet bij de stoof, Do,' zei ze. 'Moet je jurk vies worden?'

'Wat 'n theater!' lachte boer Hensius en hij spreidde zijn armen en Klazien zat al bij hem op schoot. Wars van zijn vragen over school, die ze slechts met nee beantwoordde, begon ze vlechtjes in zijn streuvelige haar te leggen. De ogen vroom gesloten liet hij haar begaan.

Deit stoorde zich aan die onzin – niet helemaal terecht, meende Moes. Hij vond het wel vermakelijk Hensius als opa te zien optreden. Toen Do om drop begon te zeuren, stuurde Deit haar dochters naar buiten. 'Gaan jullie maar kijken of er nog vleermuizen in de schuur hangen. Jij ook, Klazien, vooruit' – als de weerlicht schoten ze de deur uit.

'Het is me wat met onze Do,' klaagde Deit. 'Nog geen dertien, en nu al vrouwenkwaaltjes.' Wanneer en waarover klaagde Deit níét? Kromzicht kende haar niet anders. 'Nog in Stad geweest gisteren,' ging ze voort. 'Wéér woorden gehad met onze Bert. Waarom komt hij nooit 'ns langs op zondag?'

'Ach,' zuchtte vrouw Hensius.

'Eert uw vader en uw moeder,' zei Deit – ze was speciaal naar Stad gegaan om dat tegen Engelbert te zeggen, en wat had ze bereikt? Engelbert had een suikerklontje in zijn thee laten vallen, waarbij hij het volgende mijmervers opzei: 'Ik zing voor u dit droevig lied, moge u naar de pomp lopen, meer zing ik niet.' 'Maar goed,' zei Deit, 'we hebben gepraat, wij en Jantje.

Met praten bereik je ook wat. Wat hen betreft is de ruzie over. Ze komen met de kerst. Jantje én onze Bert.'

'Mogen we even, knecht?' verzocht Hensius.

Moes nam zijn pet en ging, zo simpel lag dat. Afstand moest er zijn tussen de boer en zijn volk, dat gold voor Hensius niet minder dan destijds voor Tiedema. En daarbij, bedacht hij in de stal aangekomen, hij hóéfde al die zaken ook niet te weten, omtrent Engelbert en zo. En al was het wel zo geweest, dan kwam hij bij Lodder wel aan zijn trekken. Kromzicht was ruimschoots op de hoogte van wat er speelde.

Nee, de dieren hier, die deden ertoe. Pollux – Moes zag hem staan in het halfdonker van zijn box, mooi rustig, zag de buiken van Dina en Cleopatra prachtig vol en dik geworden. Ginds stond de grote deur naar het erf open. De zon scheen fel daarbuiten. Wit licht. Decemberlicht.

Om vier uur hielp Ludo mee bij de melkbeurt, het sprak haast vanzelf. Hij toonde hart voor de zaak, zag Moes, hij had al het goede van zijn vader, al combineerde hij die eigenschappen nog al eens met een trekje dat tekenend is voor zijn leeftijd: ongeduld. Eigenwijzer nog dan Senior ging het hem algauw niet vlug genoeg. Hij deed weer maf en melkte met een zonnebril op, dát terwijl Senior akelig nauwkeurig rekening hield met het verlangen van koeien naar een zachte beschemering binnen.

'Wat nu, zoon?' lachte Senior. 'Nóg te licht in de stal?'

'Gemaskerd bal,' zei Ludo, en stond op, een strootje

wegpikkend van zijn mouw dat hij nadenkend op zijn vaders broekspijp liet vallen.

'Jong! Je laat toch je koe niet staan?!' zei Senior.

'Wij moeten weg,' riep Ludo, en liep, verbijsterd nagestaard door vader en knecht, de grote staldeur uit.

'Kolder,' schudde Hensius het hoofd, 'de stille kolder, dat is wat onze Ludo heeft', en hij ging door met ritmisch de spenen kneden, maar harder nu, merkte Moes, hij zag de melk hoog opschuimen tegen de wand van de emmer.

Na het melken vulde Moes de paardenkribben nog bij, haalde juist hooi uit de mijt op het achtererf, toen hij Ludo zijn beide nichten in de armen zag lopen.

'Oom Ludo!' riepen ze tegelijk en sprongen om hem heen. Ludo bleef staan. Hij had het niet erg op de kinderen van zijn zus. Dat ze gemiddeld vijf jaar met hem scheelden, nu goed, maar hij vond ze dom en infantiel.

De meisjes sloten hem in. 'We hebben 'm!' riep Do. Ludo gromde als een leeuw, brak uit, deed brullend een uitval naar Do. Die liet zich giechelend in de zij porren, tot ze het uitgierde en 'per ongeluk' Ludo's zonnebril molde.

'Dom wicht! Waar moet ik nu mee melken?'

Toen kwam Meuk, de oude teef, om de hoek kijken. Klazien aaide het dier over de kop. Twee jaar jonger dan Do was ze, nog wat schonkig in de knieën, maar minder aanstellerig, vond Ludo. Ze was rustig blijven staan, tenger en vormeloos, toen Do naar haar moeder rende. Bij háár trok hij vanachter stiekem de strik van haar jurk los. Klaziens smalle borst rees en daalde, ze

zette het op een janken en schoot toen eveneens naar
binnen.

Kort na zessen werd er 'eten!' geroepen. Boer Hensius
zat al tussen zijn kleindochters in aan tafel, toen Ludo
en Moes arriveerden. Vrouw Hensius knoopte haar
schort af, terwijl Deit het eten opdeed en haar kind een
standje gaf.

'Leg die lepel neer, Do.'

'Foei!' stak Ludo zijn vingertje op. 'Je hoort te wachten tot iedereen bediend is!'

De bijval zinde Deit maar matig. 'Ja, Ludo,' zei ze,
'hoe zit dat? Bakker Christiaanse zag je op hazen staan
loeren op 't land.'

'Klopt.'

'Door 'n toneelkijker?!'

'Van paarlemoer,' zei vrouw Hensius. 'Die heeft hij
van onze Albert. Voor z'n verjaardag. Van mij krijgt hij
'n brievenmap, eentje van zacht leer, niet, jongen?'

'Marokkaan,' zei Ludo.

'Van voren versierd met lila en groen borduursel,' zei
vrouw Hensius. 'Ik ben er nog mee bezig. 't Is bijna af.'

'Toe maar,' zei Deit.

'Van mij laat hij 'n broeikas bouwen,' vertelde Seni-
or.

''n Oranjerie,' verbeterde Ludo.

'Renteloos voorschot. Langlopend, want 't duurt
even voor 'n tomaat rijp is. Of worden 't augurken,
zoon?'

'Immortellen,' zei Ludo.

Zijn vader hikte van plezier, aanleiding voor Deit om op te staan en de soepborden weg te nemen. Zoals broerlief in de watten werd gelegd, ze kon er alleen maar verachting voor hebben. Ze was er niet bij geweest op straat, toen de meisjes hem voor aansteller scholden, maar toen ze het hoorde van Do, had ze er zich wat bij voor kunnen stellen.

Vrouw Hensius kwam met de pan stooflappen en zette hem midden op tafel, naast het mandje met witbrood, zoals altijd op zondag. Het was ineens stil. Ieder tastte toe, Moes als laatste – ieder brak en doopte zijn of haar brood in de jus.

Bij Deit bleef het wringen. Bespottelijk! Al zolang ze zich kon herinneren, nam vader op zaterdagmiddag na het werk een bad in de zinken kuip in het spoelhok. Altijd trok hij dan de zondagse kleren aan en ging de tuin in, om er een bos dahlia's te snijden voor zijn vrouw, voor op de keukentafel. Nu zouden dat dus 'immortellen' worden, want Ludo werd zeventien! 'Wat ik niet snap,' luchtte ze haar ongenoegen, 'Tiedema zit misschien wel twee keer zo dik in de slappe was als wij, maar wat krijgt zíjn zoon, als hij jarig is? Hooguit 'n paar manchetknopen.'

'Nee, 'n doos aardbeien,' zei Ludo.

'Ah, Tiedema!' veerde Hensius op bij het horen van die naam. 'Bovenstebeste kerel! Maar géén fokker! Verouderde methoden. Te doorsnee, te eenzijdig op 't gebruiksdier gericht...'

'Maar wel iemand met manieren,' zei Deit.

'Manieren? Dat weet ik zo net nog niet. Nee, Deit, 'n

fokker streeft naar weerstandsvermogen, naar levensduur. Maar voor Tiedema telt enkel 't percentage eiwitten.'

'Kan zijn, maar 't is geen opschepper.'

'Berend niet?!' schoot Ludo op.

''n Fokker zorgt dat álle organen goed functioneren,'
zei Senior. 'Maar Tiedema? Bij hem draait alles om de
klieren.'

'Met name de melkklier,' kraaide Ludo. 'Voor Berend bestaat 'n koe uit twee delen: de melkklier en de
rest.'

'Niet overdrijven, zoon,' zei Senior op licht beris-
pende toon, 'maar in wezen, ja, de melkklier, zo is 't
wel.'

Deit moest inbinden. 'Verschil van smaak,' zei ze
met een schouderophaal. Altijd weer legde ze het af tegen Ludo.

Met de hand aan zijn bord zag Moes dit alles gebeuren. En altijd zou je zien dat Senior zijn dochter dan
toch weer een beetje tegemoet leek te willen komen.
'Nou ja, kind, je moet maar zo denken: de ene boer is
de andere niet. De ene boer kneedt de spenen misschien wat vlugger dan de andere – geen reden om ruzie met 'm te krijgen. Boer A melkt met een half oog op
de klok teneinde de bestede uren in overeenstemming
te brengen met de melkprijs. Boer B melkt rustiger, be-
dachtzamer, als 't ware om de kunstgreep te verzoenen
met de natuur van het dier. Maar ruzie tussen beiden?
Rivaliteit? Daar merk ik hoegenaamd niets van. Eerder is er sprake van eensgezindheid. Melken is nu een-

maal geen ideaal of mooi streven, maar nóódzaak, elke dag.'

Vrouw Hensius leek half te slapen achter haar nauwelijks aangeroerde stooflap, zo vaak had ze dit gestechel al gehoord, zo ongemerkt ging al 's werelds geschil haar voorbij.

'Vrouw,' stootte Hensius haar aan met de schouder.

'Bedtijd,' besloot Deit, en stuurde op vertrek aan.

Zo kon de zondag voor Moes ook wel zijn aardige kanten hebben, momenten van trots, vertedering, opflakkerende nijd – momenten die een mens de ogen openden voor wat er omging in de ander. En toch, al met al... Wat hem betrof was het alvast maandag. Het grootste geluk vond hij toch altijd weer door de week, in de gedweeë voortgang van zaken.

10

In het voorjaar beliefde het de Here God Hensius tot
zich te nemen. Met de dag was het de oude boer zwaar-
der gevallen het houten opstapje naar de bedstee te be-
stijgen, zich neer te laten in de paardenharen matras,
om zich dan 's morgens even vrolijk weer aan de bedde-
kwast op te hijsen tot verticale stand. Op het stilste uur
van de dag, een uur dat de turf in de stoof slecht brandde en de hond zachtjes zuchtte en snurkte en de dag on-
merkbaar wegschommelde in de avond – zomaar ineens was hij toen uitgekeken op zijn kraantjespot.
Eerst had hij de ketel nog van het vuur gehaald en was
toen stilletjes in de bedstee gekropen – om niet meer
op te staan. Hij ging heen, berustend, na een korte,
meer symbolische dan gemeende strijd, waarbij – op
Engelbert na – de hele familie aanwezig was.

Een week later... Vrouw Hensius keek uit het raam.
In de moestuin kwamen de radijsjes al op, blaadjes die
reikhalsden naar warmte en licht. Ineens kreeg ze het
benauwd. Het zal even na vieren zijn geweest, toen
Moes de keuken in kwam en zag hoe ze de ketel van het
vuur nam en in de bedstee kroop, om wat te gaan liggen zeker. Kort daarop vroeg ze om Ludo, nam zijn
hand en zei: 'Alles is gezegd, jongen, ik ga naar vader.'

Meuk, het oude vrouwtjesbeest, zou haar missen. Die besloot weinig later eveneens het moeie hoofd neer te leggen.

De bidders in Aaland deden goede zaken, want halverwege de zomer ging ook bij Berends vader het lichtje uit. Hij was nog geen zestig, maar leed aan het hart. Of was het de lever? Of waren er geldproblemen, schulden wellicht? Gemakshalve zeiden de Kromzichters: 'Tiedema is in z'n melkplas verzopen.'

Boer en vrouw Hensius, Meuk en de oude Tiedema, allen in nog geen kwart jaar tijds – geen schrale oogst, dacht Moes. Grote verliezen waren het, slagen die hij niet licht te boven zou komen. Vooral aan boer Hensius zou hij goede herinneringen houden. Nooit had hij een boer gekend die bij het werpen een schijndood kalf zó tot leven kon wekken, niet door het op de bil te meppen zoals hij Tiedema had zien doen, maar door het dier zout in de neus te wrijven, adem te verschaffen, het bij de achterhakken te nemen en op te tillen, tot alle slijm vervloeid was.

Ludo kreeg het druk. Het uur was daar: hij nam de zaak over, hij werd de baas. Achttien was hij, en wees, maar eentje die zich de zoon van een eersteklas fokker mocht noemen.

Na een korte rouwperiode nam hij drie belangrijke besluiten. Allereerst haalde hij in de woonkamer de roodkoperen, altijd blinkende cachepot van de schoorsteen, een familiestuk, en zette hem met ficus en al op zolder. Ervoor in de plaats kwam de neger te staan die

hij in Aaland op de kop had getikt, een forse West-In-
diër van geglazuurd aardewerk met een lichtblauwe
scheepsbroek aan, een gele sjerp om het middel en een
hemd dat halfopen hing, een wit hemd met flodderige
kraag, fraai contrasterend met het egale mokka van de
borstspieren. In zijn armen hield hij een knots van een
bloemenvaas omhoog, eentje van een licht soort me-
taallegering, aluminium genaamd.

Nauwelijks was dat gedaan, of hij zette zijn vossen-
bont op, zadelde en toomde zijn merrie en reed in
draf naar Aaland, naar dezelfde opkoper bij wie hij
die neger had gevonden en van wie ook oom Albert
veel spullen betrok. Voor het zachte prijsje van zeven-
honderdvijftig gulden kocht hij het oude muurkleed
dat hij daar had zien hangen, een Frans kleed, achttiende eeuw, een nog soepel gobelin met een panora-
ma erop.

Seniors lessen waren wijze lessen geweest, maar ze
hadden weinig stremmend gewerkt op Ludo's licht
ontbrandende fantasie. In één moeite door bezocht hij
nog de steenhouwer, dezelfde die de zerken van zijn
ouders had geleverd, en bestelde bij hem een ligbad dat
uit één blok basalt moest zijn gehouwen, basalt van een
spekachtige soort, iets als het gelig geworden witmar-
mer van antieke beelden – ter vervanging van de zinken kuip in het spoelhok, dat pokdalige anachronisme
dat hem altijd al een doorn in het oog was geweest.

Pas tegen de avond verliet hij Aaland, zijn merrie
kort aan de teugel – het dier begon de stal te ruiken.
Met het gobelin opgerold op haar billen dribbelde hij

huiswaarts, op z'n gemak, voldaan, als een oosters koopman na een fortuinlijke dag.

Thuis hing hij het kleed aan de wand boven de ottomane en gebruikte met Moes het avondeten, niet in de keuken, maar dáár, in de mooie kamer, om zijn aanschaf geen moment uit het oog te hoeven verliezen.

Ook na het eten bleef hij een en al bewondering, schoof een luie stoel tot onder het kleed en liet zich neer. Zo, languit, met een glaasje krieken-in-armagnac onder de kin, dwaalde hij rond in deze pastorale, dit frisse ochtendland met zijn vage wolk en verre kasteel, zijn diversiteit aan tinten, van goudkleurig tot pijptabak, alles gelegen toch onder het verschoten waas van eeuwen. Stil verrukt verwijlde hij bij de vijverpartij, stond onder de treurwilg zijn krieken op te lepelen, betrapte daar de blote maagd halfverscholen in het lover, hoorde haar waterbekken klaterend leeglopen in de vijver, hoorde de hond die schrok van dat geluid en begon te keffen, de zwaan die schrok van dat geblaf en zich statig verhief uit het water, en wendde toen zijn blik naar het burgerlijk echtpaar dat verderop terzijde zat in het gras en onverstoorbaar hun picknickmand uitpakte.

''t Heeft wat gekost, Moes,' verzuchte hij, alsof hij zijn aanschaf tegen zichzelf moest verdedigen. ''t heeft wat gekost, maar 't maakt alle verschil in deze saaie kamer. 't Verzacht ons heimwee naar deze zinvollere tijden. 't Bevrijdt ons arme boeren uit de kluisters van eeuwenlange onwetendheid.'

11

Dat Moes na Hensius' dood bij Ludo bleef werken, sprak vanzelf. Senior had er nog wel op gezinspeeld, maar ook zonder dat had Moes het diens stille wens geweten dat hij zoonlief bleef begeleiden en de zaak wat in de gaten hield. Het zou haast ongemerkt zijn gegaan, als Ludo er op een dag na het avondeten niet een officieel tintje aan had gegeven, van 'plechtige indiensttreding' sprak, de meid bij bakker Christiaanse *pralines de luxe* liet halen, en uit de kelder een fles koude sekt.

Pront hief hij het glas, zonder ook maar de schijn van een lach, woorden in de mond nemend die, zo zei hij, slechts bij bijzondere gebeurtenissen werden gebezigd en hier dus op hun plaats waren. 'Welaan dan, knecht, drinken wij elkaar uit dit flacon niets méér te wensen toe dan een spijsvertering waarop Gods zegen ruste, en een samenwerking waar we trots op kunnen zijn. En o ja, mocht je 't nog niet begrepen hebben: voortaan eten we hier, in de woonkamer.'

En dus zou de meid ook de dagen daarop niet in de keuken, maar vóór dekken. Ze moest lopen voor twee.

'We kunnen er altijd eentje bij nemen,' zei Ludo.

Hier zouden ze voortaan dus zitten 's avonds, aan

een ronde tafel met kunstig bewerkte kruispoot, tussen stijlvolle, houtvlam-beschilderde wandpanelen,
midden in deze kamer waar maar weinig was geleefd,
een vertrek dat extra werd versomberd door paardenharen overgordijnen die half voor de vensters hingen,
stijf van onbruik en zwaar als de zeden van weleer. Tegen de zijwand stond het robuuste cilinderbureau,
waar Senior zijn boekhouderij deed en dat nu mede
dienst deed als postkantoor, met zijn vloeiblok, inktlap
en stapel grotendeels ongeopende enveloppen onder
een glazen presse-papier.

Hier zouden ze voortaan eten, onder dit kroonluch-
tertje dat naargeestig licht verspreidde: gekookte aarpel, artisjokken uit Ludo's oranjerie, zwijnenvlees ge-
braden in boter – gekláárde boter en vérs vlees, en niet
zoals destijds bij Tiedema gerookt of opgezouten en
ranzig geworden onder afdichtlagen van vet en reuzel,
nee vérs, recht van de slacht, en elke dag Duits bier in
plaats van zure gort. Hier zouden ze de maaltijd gebruiken en napraten met koffie en armagnac, bij dit
gulzige haardvuur in plaats van bij een onnozele turf-
stoof.

Netjes zoals Ludo at, strikt volgens de etiquette, die
hij misschien van oom Albert had afgekeken – in de
keuken had hij zich nooit zo gedragen. Gaaf dat beheerste gezicht, die nooit doorbrekende lach bij alle
feestelijkheid, al het ongewone van de situatie. Of was
hij ineens zo een en al ernst, omdat hij het bij nader inzien toch wat sombertjes vond in dit ouwelijke vertrek? Het leek erop – een vrijheidslievende slaaf en een

halfvergaan wandkleed konden dat verhelpen noch verhelen, nee, werkten die bedruktheid eerder in de hand. Alsof hij toch liever gewoon áchter had gegeten, in de keuken, maar dat niet kon, daaruit was verdreven door het onherroepelijke van herinneringen.

Misschien kwam het daardoor ook, door dat idee van verbannen-zijn, dat hij die avond uit een oude folder nog een postorder plaatste in Engeland. Moes was erbij, toen er twee maanden later door een bode van de ambassade een hond werd bezorgd, een jachthond. Het beest stond wat rillerig op de poten, maar slim dat het was! dat zag je zo, een slimme snuffelaar, exemplaar van een hoogedel, uit zuivere teelt gekweekt huisdierras, een *Sir Anthony Trippett*.

'Pleased to meet you, sir,' zei Ludo. 'Sit! Please, sit!'

12

Terwijl Ludo Hensius aldus de familietraditie prolongeerde, lid van de Oldambtster Bond van de Rundveefokkerij werd, in het ras bleef fokken en zich door een sporadisch rood optreden in zijn zwartbont niet het hoofd op hol liet brengen, maar met geduld en uitgebalanceerde teeltkeus de smet uitbande en van zijn vee, jawel: goede gebruiksdieren maakte, maar mét fokwaarde, al doende nieuwe ideeën daaromtrent ontwikkelde, tijdens de maaltijd gedurfde theorieën dienaangaande lanceerde, dagelijks zijn nagels verzorgde en antieke pistolen en musketten begon te verzamelen – een zekere extravagantie was hem nog altijd niet vreemd –, ploeterde op enige afstand daarvandaan, aan de andere kant van het dorp, Berend, de zoon van wijlen boer Tiedema, voort met wilde kruisingen en melkvee.

Ook hij stond er nu alleen voor en droeg dat gelaten, onder het teken van de onbespreekbaarheid van dit soort dingen. Alles was na vaders dood bij het oude gebleven op Tiedemaborg – voor wat het werk betreft, want hijzelf was veranderd. De driftbuien van zijn jeugd had hij achter zich. Door de zware verantwoordelijkheden die hij nu moest dragen, voelde hij zich ouder dan hij was. Hij sprak met niemand, zelfs met de oude Frieka niet, op een enkele aanwijzing na, wanneer onvoorziene omstandigheden als het weer of een late worp verandering brachten in het geijkte program. Saai ging hij door het leven, altijd op zeker spelend, vrijwel onwetend van wat er om hem heen gebeurde – het behoeft geen verwondering dat hij ook vrijwel onberoerd bleef onder wat er gebeurde.

's Avonds zat hij thuis, maar ook overdag zette hij amper een voet buiten de deur, anders dan voor werkzaamheden. En toch, soms, als hij daar zat op zaterdagavond, achter de gesloten deuren van het binnenhuis, in vaders rookstoel in die propere kamer met zijn paarse bewanding, gaar van de boekhouding en luimig van het overvloedig tafelen, en hij hoorde de klok in de gang het hele uur slaan – op zo'n moment kon hij toch ook zijn ingevingen hebben, zich plotseling afvragen wat hij daar deed, zo allenig in die kamer, jong als hij was.

Sinds kort had hij er daarom een gewoonte van gemaakt om op zaterdagavond café-restaurant Het Kromdiep te bezoeken, dat even voorbij de brug aan het water lag, om er ongeacht wie te ontmoeten, burgemeester Dröve met zijn overdreven begroetingen en eeuwige drukte; of dokter Vinkhuizen met zijn altijd slaperige kop; of anders wel die ijdele gek van een meester Den Hollander, die het nooit kon laten sinistere rode praatjes rond te strooien; of wat er verder nog kwam aan passanten.

Van wie het plan voor deze wekelijkse bijeenkomsten was uitgegaan, wist Berend niet, maar het zou burgemeester wel zijn geweest. Die dronk op zaterdagavond toch altijd al zijn borrel in Het Kromdiep. Misschien was het hem daar te stil geweest en had hij in 'gemeenschapszin' een alibi gevonden om wat leven in de brouwerij te brengen. Sinds zijn vriend Den Hollander zich bij het initiatief had aangesloten, was ook dokter Vinkhuizen vaak van de partij, een enkele keer zelfs notaris Hopma en die kwam toch helemaal uit Aaland. Toen ook Ludo Hensius met regelmaat kwam, begon men in Kromzicht van 'de debatingclub' te spreken, in de veronderstelling dat er achter het ongedwongen vertier wellicht hogere bedoelingen staken.

Berend interesseerde het weinig of er hogere bedoelingen achter zaten en welke dat mochten zijn. Hij had zijn eigen redenen om te gaan. Plots was hij tot het inzicht gekomen dat de maatschappij van een boer wellicht méér verwachtte dan boter, kaas en eieren; dat zij daarnaast ook durf, zelfoverwinning, kortom deelname aan het gemeenschapsleven op haar verlanglijstje had. En dus ging hij, toe maar, een advocaatje drinken met Den Hollander, wat praten met Dröve, gesprekken die beschaafd, maar niet minder lang en luidruchtig waren en waarbij vooral door de chronisch goedgehumeurde burgemeester veel en hard werd gelachen.

Dat Ludo ook kwam, weerhield Berend niet van de nieuwe gewoonte. Die was toch meestal met anderen in gesprek. En dat meester Den Hollander zei 'vertier' nuttig te vinden, anderzijds toch ook wat wilde leren van zo'n avond en discussie op gang bracht rond sociaal gevoelige onderwerpen – hemeltergend was het, maar zolang het bij praten bleef... En dat Ludo hem, Berend, als hij ook eens wat wilde zeggen, goedgebekt de loef afstak, ach, was het ooit anders geweest? En burgemeester, die steeds op Ludo's hand was – ook dat lag in de traditie besloten. Maar dat Moes meekwam, dat stak Berend. Dat zíjn knechten goed genoeg waren om bij Lodder hun zure geld te verdrinken en die van Ludo hier welkom waren, het reet oude wonden open en maakte hem toch weer balsturig en nerveus. Maar hij wilde zich niet in de kaarten laten kijken en liet niets merken.

En dus bleef de sfeer ontspannen, daar zorgden Dröve en Den Hollander wel voor. Ze voelden elkaar aan, die twee. Tegen elkaar was het 'Piet' en 'Karel'. Bij semiofficiële gelegenheden als deze noemden ze el-kaar bij de achternaam – het deed niets af aan de op-rechtheid van de vriendschap. Beiden heetten dicht bij het volk te staan, beroepshalve, maar ook in hun socia-le sympathieën die openlijk beleden werden, vooral door Den Hollander. Dat die in Kromzicht ieders ont-zag genoot, dankte hij niet enkel aan het bundeltje di-dactische verzen dat hij op zijn naam had staan, noch aan zijn borstelige wenkbrauwen die wit en bewegelijk waren als konijnenstaartjes. Den Hollander had oog voor de menselijke ziel, zei men. Hij zou daarbij durf bezitten, het vermogen tot kordaat optreden, waar dat nodig mocht zijn.

Maar altijd zou je zien dat Ludo midden in zo'n ern-stig gesprek over zijn nieuwe ligbad begon; over hoe treurig het was, dat onuitroeibare gebruik van zinken kuipen. Hij trok heftig van leer tegen dit soort misstanden en haalde de tijd aan dat de mens voor zijn sanitair nog was aangewezen, niet op poepdozen, maar op heetwaterbaden, Romeinse wel te verstaan, die qua bouw en inrichting heel anders waren dan Turkse. In detail zette hij hen het verschil uiteen, terwijl hij, Berend, erbij zat, elders met zijn hoofd, bij zijn wrokkige vader, bij dat oude zeer, die ontrouw van zijn beste knecht destijds, hier nota bene aanwezig.

Burgemeester was stil voor zijn doen. Hij keek naar het laagje drab op de bodem van zijn koffiekop, alsof hij onheil zag. Ook Den Hollander moest iets bespeurd hebben.

'Is er wat, Tiedema?'

En meteen wist iedereen waar meester op doelde: dat Berend een vieze smaak in de mond had; dat hij bedenkingen koesterde tegen de standenvervaging, maar deze meer toonde door van de kwispedoor gebruik te maken dan van zijn spreekorgaan. En nu werd hij ook nog voor het blok gezet met die vraag: 'Is er wat?' Hij ging door de grond van ergernis en wist niets te zeggen.

'Dit terzijde,' zei Ludo, en hij ging door op zijn Turkse baden. Het wreef zout in de wonde. Niet te verteren voor Berend om hier gekleineerd te worden, in het bijzijn van een knecht nog wel – het maakte hem woedend, deed hem opstaan, een vluchtroute zoeken naar het toilet.

Lang zat hij daar te broeden op de pot, zijn blik gericht op de deur, iedereen vervloekend, Dröve, Den Hollander, Ludo – in eerste instantie zichzelf. In een flits zag hij de jaren passeren, de onmogelijke mens die er van hem was geworden.

Maar hij moest terug, er was geen ontkomen aan. En hij vermande zich, hield zijn polsen onder de kraan en begaf zich weer naar het lokaal. Het gezelschap zag hem komen.

'Zo, hè, 'n lege blaas. Dat lucht op,' zei Ludo.

Burgemeester veegde een lach van zijn gezicht. Meester Den Hollander zei niets, hij glimlachte flauwtjes, terwijl zijn fluwelige handen de bocht van zijn stok streelden.

Juist kwam Freriks bestellingen opnemen. Dröve wilde een jenevertje en zei, wijzend op Den Hollander: 'Doe hém maar koffie, Freriks. Dat lijkt me safer, met de dokter erbij.'

'En jij, Tiedema?' lachte Freriks. 'Advocaatje nog?'

Hij knikte verward, had willen afslaan, willen weggaan – en bleef. Eenieder zag het gebeuren.

''t Zijn me tijden wel,' zuchtte Den Hollander. 'De arbeider heeft 't niet breed. Droog brood, maar droog brood is ook eten. Ik zeg maar zo: wie werk heeft, moet niet klagen.'

'Waar woord,' zei Ludo. 'Nee, dan vroeger. Menigeen aan deze tafel zal zich de tijd herinneren dat de boer zijn huis nog déélde met zijn meiden en knechten.'

'Ach, vroeger,' zei burgemeester. 'Vroeger ligt op 't kerkhof, Ludo. Trouwens, wás 't zo ideaal? Altijd ruzie: over wie de wacht zou nemen 's nachts, over wie de geit moest melken, over wie wie mocht ontluizen. Permanent duister heerste er in de woningen en 't stonk er naar rook en de vuilnisbelt.'

'Nauwelijks,' meende Ludo. 'Nare lucht roken de mensen niet, of ze zouden 'n hekel aan zichzelf hebben gekregen.'

''t Stikte anders van de muizen vroeger bij ons thuis,' zei burgemeester. ''t Kon er spoken, hoor.'

'Muizenplagen zijn er altijd geweest,' hield Ludo staande. 'Alleen heet dat nu: gebrek aan privacy.'

'Precies,' zei Den Hollander. 'Privacy... Niets schijnt gewichtiger dan dat tegenwoordig. Boer, knecht of schoolmeester – je komt niet verder meer dan de voetveeg.'

Dat was een steek onder water, Berend voelde het. 'Bij ons wel,' hapte hij. 'Op Nieuwjaarsdag. Dan liet m'n vader ze allemaal aantreden, vóór in de mooie kamer. Keurig op 'n rij stelde hij ze op en gaf ze allemaal wat, de knechten 'n stuiver, de meiden 'n onsje boter, de kinderen kregen 'n knikker...' Hij verweerde zich fel. Diepweg was hij er nog, de oude Berend, die flink kwaad moest worden om zich te kunnen uiten.

'Welja,' lachte Dröve. 'Ik vraag me af of die vrijgevigheid je knechten en meiden goed heeft gedaan, Tiedema. We horen ze alleen maar onzedelijke liederen zingen bij Lodder. We horen ze zingen en schreeuwen tot diep in de nacht.'

'Mijn meiden niet,' zei Ludo. 'M'n knechten, nou vooruit, die kunnen wat mij betreft gaan waar ze willen. Ze kunnen gaan en staan waar en wanneer ze maar willen, burgemeester. Maar m'n meiden houd ik binnen na zonsondergang.'

'O?' zei Dröve.

'Meiden behoren thuis te zitten.'

'En als ze niet willen?'

'Oldambtster meiden willen. Oldambtster meiden doen hun eigen zin: ze blijven thuis. Oldambtster meiden moeten elkáár vermaken, elkaar geheimpjes vertellen, elkaar opjutten en de keel uithangen. Kortom, ze moeten sterke banden ontwikkelen met elkaar, zodat ze als één lichaam samenwerken.'

Weer was Berend achterop geraakt, weer was hem de mond gesnoerd, terwijl hij het had willen uitschreeuwen. Ludo met z'n snoeverijen... Eén meid had hij sinds kort, en één knecht en die was niet eens van hemzelf! Berend zocht naar een gelegenheid om op te staan, de heren te groeten, om dan maar buiten zijn woede te bekoelen, maar dokter Vinkhuizen nam juist het woord en had meteen ieders aandacht, omdat hij iemand was die zelden wat zei. 'Je aardt naar je oom, Ludo. Wist je dat?'

'Wie? Oom Albert?'

'Oom Albert, ja,' viel burgemeester hem lachend bij. 'Die hield ook niet van jenever, behalve op zaterdag.'

'Ik heb nog bij Albertje in de klas gezeten,' vertelde dokter. 'De braafste van allemaal. Totdat hij met z'n moeder naar de tandarts ging... Die wilde in zijn mond kijken, maar Albert moest niks van 'm hebben en wendde zijn gezicht af. "Eh eh, mondje open!" zei de tandarts. Nu had Albert die ochtend net woorden met zijn vader gehad. Die had gezegd: "Eh eh, mondje dícht!" Het heeft je oom in een diepe existentiële crisis gestort, Ludo, het was het begin van de sterrenkunde.'

Berend nam de kwispedoor weer. Het drukte de stemming, men wist weer even niets te zeggen.

'Mooie avond,' zei Dröve, met een blik naar buiten.

Den Hollander beaamde dat, maar zette vraagtekens bij het beeld dat Freriks onlangs in de tuin had laten plaatsen. In een omheining van bessenstruiken stond het: Venus, naakt oprijzend uit een schelp. Meester vond het te naturalistisch.

'Ach, wat romantiek,' relativeerde Dröve.

'Kan zijn,' zei meester, met meer nadruk in de stem dan men van deze altijd zo beheerste man gewend was. 'Toch had ik daar liever iets symbolisch gezien, iets dat verheft. 'n Molensteen of zo, symbool van arbeid' – aanleiding voor Dröve om over de activisten van Drijwold te beginnen, de schermutselingen die daar onlangs hadden plaatsgevonden.

'Drieste mannen,' gaf Den Hollander toe. 'Mannen toch ook, wier optreden ons de ogen opent voor de noden van het volk, voor het sombere hok waar onze arbeiders zich 's avonds gelukkig prijzen dat ze een koude vloer hebben om op neer te strijken, bij een lichtje te zwak om bij te leren lezen...'

Toen meester in verband met de bezittende klasse over de om zich heen grijpende zelfzucht begon en in verband met de om zich heen grijpende zelfzucht de naam doctor Kuiper liet vallen, was voor Ludo het moment daar om Napoleon erbij te halen.

'Wie?' vroeg burgemeester.

'Napoleon Bonaparte, 't spook van Europa, de man die nooit lachte, verteerd als hij werd door natuurlijke krachten.'

'O die,' zei Dröve.

'Gehoorzamen, ho maar. Maar bevélen kon hij, van-af zijn geboorte, zoals 'n nat kalf opstaat en kan lopen.'

Dröve applaudiseerde en noemde Ludo 'een idealist'. Voor Den Hollander was hij ''n pionier op 't gebied van de manipulatie en de desoriëntatie, iemand die zijn ta-lenten productief zou moeten maken bij de mannen van Drijwold'.

Op dat moment stond Berend op en legde zijn sigaar in de asbak – hij had hem juist opgestoken. Hij nam zijn jek en pet van de kapstok. 'Heren, 't was me 'n ge-noegen.'

'Nu al?' zei iemand.

'Helaas, maar ik moet naar m'n koeien.'

'Spreekt hier 'n Oldambtster toevallig?' vroeg Ludo. De vraag werd met besmuikt gegrinnik ontvangen.

'Ga zitten, Tiedema,' zei Dröve.

Den Hollander greep in. 'Nochtans geen kwaad be-doeld, Berend. Geen kwaad type, 'n Oldambtster. Jíj in elk geval niet. Jij hebt meer in je mars dan wijlen je va-der, en 'n guller hart.'

'En daarbij 't vermogen om smoorverliefd te wor-den,' verzekerde burgemeester Dröve hem ernstig.

'Goedenavond,' zei Berend, en hij was de deur uit.

13

Weinig was er veranderd bij Hensius sinds Ludo er de lakens uitdeelde, vond Moes. Voor dag en dauw óp en melken en oppassen niet weer in slaap te vallen onder je koe. Kwam er een kalf ter wereld, dan verwijderde hij terstond de nageboorte uit de stal, om te voorkomen dat het moederdier ze aanvrat, wat spijsverteringsstoornis tot gevolg kon hebben.

Veranderingen waren er, maar ze waren allesbehalve revolutionair en vielen nauwelijks op. Aan tafel bijvoorbeeld... Op verzoek van Ludo at hij met vork en mes. Een enkele keer vergiste hij zich nog en werkte de aardappel toch weer met zijn vingers naar binnen. Ludo stoorde zich eraan, leerde hem in bevattelijke bewoordingen de regels van het savoir-vivre en droeg hem op zich te kleden voor het avondmaal. 'Morgen leer ik je hoe je 'n stropdas knoopt. Laten we dít afspreken: van nu af aan elke dag iets nieuws. Hoe je je in gezelschap moet gedragen. Hoe te toosten, een korte toespraak te houden op bruiloften, alsmede enige tafelzangen, enige gezelschapsspelen zoals pandverbeuren, pandinlossen, raadsels opgeven, strikvragen...'

Moes knikte. Hij had heel wat meegemaakt sinds hij als jongen op zoek naar werk en onderdak Friesland verliet. Maar dit? Hij knikte en at zijn aardappel – met vork en mes, indachtig de regel dat, wie het goed wilde hebben bij een Oldambtster, het hem naar de zin moest maken. Zich ergens thuis voelen, het is lastig voor een ontheemde, maar hij vond het best zo. Wat had hij méér mogen wensen dan dit: hoog en droog hier te zitten in dit naargeestige woonvertrek, in de wetenschap dat de meid achter in het bodenverblijf bij een rokerig turfstoofje zat te kleumen in d'r eentje, of anders – om warm te blijven – in de keuken alvast toebereidselen maakte voor het maal van morgen?

Nee, het ging hem licht af Ludo in zijn grillen tegemoet te komen. Het zou wel wennen. Zelfs had hij goede verwachtingen dat die neiging, een enkele keer nog, om zijn goeie geld bij Lodder te verdoen vanzelf wel zou verdwijnen. Daar zat 's avonds toch die bende van Berend Tiedema maar.

Ineens legde Ludo zijn vork neer en leunde achterover. Verzaligd stelde hij vast: 'Waarachtig, Moes, ik zit niet alléén aan tafel!' En hij liet weten hoe zonnig hij de toekomst van de veefokkerij zag. Zo gunstig waren de vooruitzichten dat hij zich met méér volk wist omringd. Met zeventien knechten en achttien meiden zou hij aan één tafel eten, uit één schotel, op klassieke wijze, waarbij ze uitsluitend nog over het werk spraken en allen zich elkaars gelijken voelden, ja, één grote, vrome gemeenschap vormden, onder patriarchale leiding van hém, Ludo Hensius van Kromzicht. 'En jij zult daar ook zitten, Moes, met geheven hoofd, en niet met de ellebogen op tafel zoals nu.'

Je honger was vlug over, als Ludo plotseling zijn vork neerlegde en achterover leunde. Zelfs Sir Anthony viel het op. Honden zijn slimme waarnemers. Ze doorzien elk gebaar, elke blik van hun meester, maar laten niet gauw wat merken. Maar Sir Anthony piepte en kwam aan de tafelrand snuffelen.

'Please, sir, sit! Back to your seat!'

Het dier wilde gehoorzamen en tegelijk ook niet. Het verzamelde al zijn schranderheid voor een compromis en ging aan de voet van het baasje zitten, opmerkzaam naar hem opziend. 'Engelse zoötechneuten,' schudde Ludo het hoofd. 'Bestaan er betere? Want wat hebben ze ontdekt, lang vóór Mendel, al in achttienhonderddrie? Dat zuivere teelt succes heeft. Hoe zuiverder je fokt, hoe groter de kans dat waardevolle grondslagen terugkomen in de nakomelingschap.'

'Ja, man,' zei Moes – behoedzaam, want hij kende Hensius junior intussen. Als die zo begon, was het eind zoek.

'Ja man, nee man,' viel Ludo uit. 'Ik wil 'n ántwoord. Ik laat je hier niet uit filantropie mee aanzitten aan tafel, noch voor de gezelligheid. We hebben zaken te bespreken, knecht, allerhande zaken, van voeding, verpleging, procreatie – zaken kortom van erfelijkheid. Ik verzoek je daarom méé te denken, je stem te laten horen, invloed uit te oefenen op het beleid. Dus nogmaals: heeft wijlen Sir Anthony Trippett, grondlegger van de Sir Anthony Trippett, baat gehad bij de zuivere teelt of niet?'

'Ik eh...'

'Én succes?'

Moes gaf zijn mening pas na lang en hooghartig aandringen. 'Je hebt 't grootst geliek van de werreld, Ludo,' zei hij – enkel om er een storm van verwensingen mee over zich af te roepen.

'Hier!' sprong Ludo op en liep het trapje op naar de opkamer waar hij zijn boeken bewaarde, en begon vanaf de drempel, als over de hoofden van al zijn meiden en knechten, zijn beweringen te onderbouwen met passages uit *Die Seelen der Völker* van Hurwisz, zijn 'onverbeterlijke' Hurwisz, die naast de Almanach de Gotha een wezensbestanddeel van zijn bibliotheek vormde.

Zo liet Moes, naarmate de dagen korter werden en de avonden langer en trager, zich ongemerkt weer van knecht tot toehoorder maken, precies zoals destijds door Senior op zondag – tot iemand die je in vertrouwen nam en die je van alles kon wijsmaken, iemand die alles zou aanhoren en in verzegelde bewaring nemen – wat niets met 'onderdanigheid' te maken had, zoals iemand bij Lodder beweerde. En al helemaal onverdiend was het dat hij de naam van 'uitslover' kreeg, van 'sinistere knecht die voor z'n baas de vuile zaakjes opknapt'.

14

Dat merkwaardig gereserveerde gedrag van de jonge Tiedema, die strenge hartstocht voor zijn vee, die somberheid ten aanzien van al het andere – het ontging de Kromzichters niet, maar men liet het zo, daar het eenvoudig niet anders was.

Vooral Ludo. Die had zich toch al nooit bijster voor Berend geïnteresseerd, als klasgenoot niet meer dan nu als vakgenoot. Iets van die traditionele laatdunkendheid tegenover de Tiedema's moest Senior op zijn zoon hebben overgedragen.

Ze zaten aan de avondmaaltijd, Moes en hij. De meid diende het nagerecht op, een beetje schutterig nog – zij was een nieuweling. Ja, want Ludo had er inmiddels twee, twee meiden, een voor vóór en een die hij aan het karnen had gezet in de halfverdiepte kelder onder de opkamer. Als kind had hij daar altijd zo graag staan kijken en hij vond het onverdragelijk dat het er nu zo stil was. Een tweede meid dus. Hun taken moesten echter flexibel zijn. Waar nodig moesten ze kunnen bijspringen of elkaar vervangen. Vandaar dat Ludo zich aan tafel nu reeds bij wijze van oefening graag eens door zijn melkmeid liet bedienen, 's avonds, maar liever nog bij het ontbijt, om zoals hij zei aan haar de geur van verzuurde room op te snuiven, die 's ochtends vroeg wanneer de andere geuren nog sliepen, extra lekker was.

Na het eten werd hij weer landerig, Ludo, plofte met een bol cognac neer voor zijn gobelin, zonk weer weg in die eeuwig bloeiende ochtend, noemde het uitpakken van een picknickmand 'een fijnzinnige kunst', verdwaalde weer onder die eiken om zich aan te sluiten bij de jockeys daar die, omgeven door honden, juist de jacht inzetten op hun springlustige paarden – verloor zich weer in die burgerlijke droomversie van Arcadia.

Een paar weken later... Ze hadden hun soep in de huiskamer gebruikt, hun biefstuk in het spoelhok. 'En nu trekken we ons terug in de bibliotheek,' zei Ludo. Daar aangekomen belde hij de meid voor caramelijs met slagroom en wafels.

Hij had inmiddels een derde meid in dienst. Die mocht voor de provisionering zorgen, doperwten en snijbonen inmaken, nu en dan de zeug voederen. ''t Lijkt wel 'n verslaving,' zeiden ze bij Lodder, 'er blijven geen meiden meer over!' Baas Lodder zelf meende dat Ludo Hensius nog eens een meid zou nemen 'om ééns per etmaal de klok op te halen'.

Naast een voormeid en een melkmeid had hij nu dus een dopmeid – 'om het werk te verlichten', zoals hij zei, maar ze liepen zich alleen maar harder het vuur uit de sloffen. Aangezien hij hen geüniformeerd kleedde, in bruine wollen jurken met een witte gesteven schort, kon hij ze soms nauwelijks uit elkaar houden, wat hij niet per se als een nadeel zag. Ze liepen elkaar voor de voeten. En alsof dat al niet genoeg zweten en zwoegen gaf, trainde hij hen ook nog eens op zwaardere tijden door aan tafel naast servetten het gebruik van lauwe vingerdoekjes in te voeren. De geur van overdadig transpireren die hiervan het gevolg was, ging hij tegen door hen van de nieuwste zepen te voorzien, chemische zepen, ware vondsten op dat gebied.

En dan was er dus deze nieuwe nieuwigheid, dit gedurig wisselen van plaats tijdens het eten. Om de communicatie in huis te verbeteren had hij namelijk een verklikker laten installeren, zo'n systeem van drukknoppen aan elektrische snoeren achter de gordijnen, en in de keuken een paneel met rode lampen waarop zijn meiden doorlopend konden zien waar en wanneer ze verlangd werden. Handig, maar helpen deed het niet, ze klaagden harder dan ooit. Want niet alleen wisselde Ludo met de dag vaker van locatie, hij belde ook met grotere frequentie.

Toen ze hun caramels ophadden, de opkamer verlieten en vóór zaten bij de schouw, drukte Ludo weer op de knop. De voormeid kwam, maar hij wilde de dopmeid. Toen die arriveerde, vroeg hij om sodawater. Nauwelijks had ze de Seltzogene gebracht, of hij belde opnieuw en liet hem vervangen door Sparklogene, wat hij veiliger vond, omdat die in een fles van draadglas zat, tegen ontploffen.

Moes geneerde zich enigszins voor de manier waarop Ludo het vrouwelijke personeel als proefkonijnen gebruikte, hun reactievermogen en psychische weerstand testte. Maar hij zei er niets van. Hoe zou hij, als knecht? Gelukkig was het nieuwe er na een paar dagen af voor Ludo. Maar als het de meiden niet waren die het moesten ontgelden, dan wel een ander.

'Zeg, knecht,' zei hij, 'hoe is 't toch met Tiedema? Ik heb 'm al weken niet gezien in het Kromdiep.'

'Te veul waark zeker,' zei Moes.

'Berend? Die heeft toch niks te doen. Hij stuurt z'n stieren gewoon de koeienwei in. Vooruit, jongens, beuken maar! Over 'n maandje kom ik wel weer 'ns kijken... Die man heeft totaal geen oog voor de stier. 'n Fokker behoort in de vorming van 'n goede erfformule beide geslachten 'n gelijke kans te geven, maar Berend? Zoals die zich uitsluitend door de vrouwelijke ouder laat leiden... Berend fokt als 'n klein kind.'

'Zien peerden binn'n anders niet min,' zei Moes.

'Oldenburgers! Grote God! Wat mankeer jij vanavond? De erfelijkheidsleer heeft veel goeds gebracht, maar Berend denkt nog steeds dat je 'n drachtige merrie niet in de sneeuw moet zetten, of er komt 'n blind veulen van. Hij fokt maar raak, 't is godgeklaagd. Al zijn kalveren vertonen gebreken. Is 't gek dat hij er zoveel afmaakt? In plaats van z'n erfformule te verbeteren door minderwaardige beesten te doden, zou hij er beter aan doen geen minderwaardige beesten te hébben.'

'Of niet dan?' zei Moes maar.

'Daarom, knecht, ik heb nagedacht, wij gaan 't anders doen. Vanaf heden uitsluitend nog édele dieren onder m'n dak. Hoogwaardig ras. Wat de paarden betreft: Clevelander. Of nee, Shire, Shire... Die doen 't mooi op mijn erf, beter dan onder de povere omstandigheden bij sommigen in dit dorp, waar zo stelselloos wordt aangefokt dat de hoogedele Shires al na één generatie nuttige trekdieren zijn geworden.'

'Valt mit,' vond Moes.

'Valt mit?! Berend is 'n knutselaar! En hij is niet de enige in 't Oldambt. Neem 't vee van Domhold... Godbeware! Pinken te tenger, te vrouwelijk van kop, vatbaar voor koliek en nierbekkenontsteking. Onder de vaarzen terugkeer van nog ergere in 't geniep meegesleepte kenmerken. Om nog te zwijgen van de bloedlijnen van Noordeinderbroek! Als ze daar in 'n paring twaalf grondslagen samenbrengen en ze vinden er één terug in de nakomelingschap, zijn ze als kinderen zo gelukkig. Terwijl wíj in het vervolg slechts genoegen zullen nemen met dat dier, dat álle grondslagen in zich heeft, zegge twaalf. We doen 't melkvee weg, knecht. We gaan op de stierenfok over.'

Moes wist niet wat hij hoorde. Het duurde even, voor hij kon uitbrengen: 'Dien vader draait zuch om in zien graf.'

'Integendeel,' zei Ludo, 'we maken zijn werk af. Luister. Senior heeft goede prestaties geleverd, maar 'n beetje fokker weet: het goede is de vijand van het betere. Met ingang van heden zijn we stamboekfokkers. We gaan op inteelt over.'

'Wa?! Wa zegst?!'

'Ja, je hoort 't goed. Bloedophoping, oftewel: paring van verwante dieren! Omstreden methode, zullen sommigen wel weer zeggen, en ik mag doodvallen als onder hen zich geen Berend Tiedema bevindt. Omstreden! Het tégendeel, zou ik zeggen, mits bij nauwkeurige studie van de stamboeken.'

'Riskant blieft 't, wordt er zegd.'

'Asjeblief, gebruik je hersens! Studie toont onweerlegbaar aan dat je alleen door bloedophoping, dat is: door zuivere teelt 't grootst mogelijk aantal grondslagen bereikt.'

Moes nam een slok van zijn soda, om Ludo te laten uitrazen. Veel hoefde het ook eigenlijk niet voor te stellen. Het zou wel weer zo'n zeepbel van hem zijn, zo'n kapperjool, net als die stenen tobbe van hem, die sarcofaag die ze met twaalf man op boomstammen het spoelhok in hadden moeten rollen. Morgen om halfzes zouden ze weer gewoon aan het melken zijn.

De hond snoof aan een pantoffel. 'Ah, sir Anthony, here you are, the living evidence!' zei Ludo. Het dier kwam aandribbelen en legde zijn snuit op Ludo's hand en Ludo belde om een hondenhapje en voor zichzelf en zijn knecht om een schaaltje gesuikerde dadels, niet uit Tunis, maar uit de Libanon.

''t Is gedaan met 't aanmodderen, Moes. Veredelen! Morgen beginnen! We zouden de erfelijkheidsleer beroven van een van haar zekerste middelen als 't anders was.'

'Kalm, mien jong,' slikte Moes, en nam een slok, om tijd te winnen. Want het was waar, Senior had het hem al verteld: ooit was inteelt toegepast op dieren met grote overervingskracht de gewoonste zaak van de wereld. De Grieken deden dat al – een gangbare methode die ook heel bruikbaar was gebleken, mits de gepaarde dieren niet al te nauw verwant waren. 'Nou ja, veel kwaad kan 't ook niet,' gaf hij zich gewonnen, maar stelde meteen als voorwaarde: 'Niet tussen broer en zuster!'

Ludo keek alsof hij hem met één veeg uit zijn blikveld had willen bannen. 'Wat nou, broer en zuster? Wie heeft 't hier over broer en zuster? We praten hier niet over koetjes en kalfjes, knecht, we staan voor 'n nieuw rás!'

De meid bracht de dadels. Dat kalmeerde hem een beetje.

'Trouwens,' zei hij na een tijdje, 'ook de Tiedema's hebben het procedé toegepast, dat weet je best. In achttientachtig is daar Dorus IV geboren, 'n stier van grote adel. Gepaard aan z'n groottante leverde die bij de nakomelingschap uitstekende prestaties. Superkanonnen van stieren, koeien mooi melktypisch. Maar de Tiedema's hebben te grote ogen en te kleine magen. Ze hebben de mutaties tot ver voorbij het toelaatbare doorgevoerd, waardoor je bij Berend 'kwaliteit' met een lantaarntje moet zoeken. Rood, zwart, geblaard – stuk voor stuk producten uit de school van 't hoogste rendement en de meeste afzwaaiers. 'n Nieuw ras, knecht. Volgend agendapunt.'

'Kerel!' zei Moes onthutst.

'Als stamvader zou ik willen, 'ns kijken... 'n Stier van grote omvang. Zwart, pikzwart. Het enige bonte aan hem moeten zijn enkels zijn. Hij moet witte sokjes

aanhebben – sókjes, en beslist geen slobkousen. En
verder... Hij moet zwaar zijn, zonder 'n gram vet.
Zwaar van lijf en licht van zeden zogezegd, eentje van
zowel de klei als van de veengronden, 'n aardrijkskun-
dig dier, 'n Oldambtster, die we Dricus zullen noemen.'

'Dricus den Eerste.'

'Precies, maar denk erom: láát-rijp moet-ie zijn, want
daardoor wordt-ie lang. Dat moet: lang, langgerekt. Bij
trage groei gaat het kraakbeen tussen de wervels ver-
stenen. Daardoor kan-ie 'n lengte krijgen van over de
vier meter. Maar het benenwerk moet kort zijn. Dun
en droog, maar vooral ook kort, zo kort mogelijk, bijna
te verwaarlozen, je moet 't amper kunnen zien...'

"t Is nogal wat,' zei Moes. 'Zoveel slagen hou je nooit
bie mekander in de nakomelingschap.'

'Reken maar! Onze Driek wordt 'n blijver, 'n dier
met 'n keur van eigenschappen die overheersend zullen zijn tot diep in de volgende eeuw. Met dat dier,'
voegde hij er met lichte zelfspot aan toe, 'gaan we de
erebeker winnen: de grote prijs van de Oldambtster
Bond van de Rundveefokkerij.'

'Toe maar,' lachte Moes. 'Waarom niet d'orde van
Oranje?'

'Nou nee, want voornaam hoeft-ie niet te zijn. Als-ie
maar óverervingstrouw bezit. Onze Driek moet garant staan voor minstens dértig sprongen per dag.
Toch zullen we 'm er niet meer dan drie toestaan. Want
hij moet vurig blijven en z'n type bij paring als het ware in één blok overbrengen.'

Het was Ludo ernst, dat was wel duidelijk. ''n Heuge-lijke avond' noemde hij het. Hij belde, bestelde meer cognac en twee porties rauwe ham, ongelucht, recht uit de kelder, dezelfde kelder waar ook de stamboeken van de Bond lagen opgeslagen – hij bleek ze al weken in huis te hebben. Ook die liet hij brengen door de meiden. Al-le drie hielpen ze, want het waren er nogal wat, hele pakken, oude jaargangen, sommige handgeschreven, andere in druk. Een voor een zouden ze die doorblade-ren, uitkammen, napluizen op goede ideeën, mogelijke varianten, bewezen feiten, bruikbare fokprogram-ma's...

'Kijk, knecht,' zei Ludo, 'hier komt-ie te staan, op bladzijde één. In hoofdletters. Niet in zwarte, maar in rode. Dricus Een, 'n dier met niet minder dan twáálf grondslagen.'

15

Nu de boekhouding was gedaan, kon Berend Tiedema zich een portje veroorloven. Met de zaterdageditie van *De Agrarische Courant* zakte hij weg in de rookstoel bij de kachel.

Zijn knechten zaten bij Lodder, ze hadden het vrouwvolk meegenomen en daarmee de drukte. Het viel hem op hoe stil het was. Hij hield van deze rust, hield van die roezende kachel, van het zwaar kraken van de kastdeur op zijn heugen, toen hij zijn wollen vest nam. Ja, hij hechtte aan dit zindelijke vertrek, waar zijn vader 's avonds bij spaarzaam licht de koffie gebruikte en een boek over veeteelt las. Diep in zijn hart vond hij toen ook dat besef weer terug van het on-definieerbare dat deze kamer miste, die leemte, die erflast. Steeds vaker voelde hij dat gemis, eerder alleen op de avond, nu vaak ook overdag. Onlangs nog, toen hij doodmoe van het land kwam en gegeten had en hier zat en diep in het achterhuis een meid baldadig hoorde lachen – plotseling had die last zich toen weer doen ge-voelen.

Hij was stug, Berend, schamel van woorden. Als kind al meed hij uiting te geven aan zijn gevoelens, zei-den ze – omgekeerd was hij daardoor ook andermans gevoelens gaan mijden, en als ze onvermijdelijk waren, was hij ze minder gaan ontzien. Nooit ofte nimmer weet hij die karaktertrekken aan zijn vader. Zijn vader ontsloeg een knecht pas, als er geen werk meer was – híj deed dat al, als hij een goedkopere kon krijgen.

Leek hij op zijn moeder dan? Hij zou het nooit weten, en waarom zou hij het wíllen weten? Ach nee, hij had eenvoudig de aard van zijn Oldenburger knollen: vier poten in de grond en niet vooruit te branden. Er was een tijd dat hij nog kwaad kon worden. Nu miste hij de directheid daartoe. Dat uit de kom gedraaide armpje van Ludo op school was misschien wel zijn laatste oprechte daad geweest.

Een tijdlang was hij zelfs, omwille van zijn koeien, in het andere uiterste vervallen, had zich soms makker en bedaagder voorgedaan dan hij was, had zichzelf gekleineerd en beschuldigd, hier bij zijn portje en zijn sigaar. Ineens had hij dan weer dat deftige over zich gekregen, dat idee van achtenswaardigheid, en vond hij zichzelf zielig, verachtelijk, schold op zichzelf: 'Ga naar bed! Rund!' Ook die neiging was hij goeddeels te boven gekomen. Achttien was hij, een vrijwel onbewogen man.

Dat hij zijn dagen in afzondering sleet, zat hem wel dwars. Moest hij maar niet weer eens naar Het Kromdiep? Hij was er lang niet geweest. Eén keer had hij er zich nog laten zien, had erbij gezeten als een meelzak, zonder vat te kunnen krijgen op de conversatie. Wat moest hij daar ook? Wat wist een schoolmeester van melk? Meteen had hij weer heimwee gekregen naar de gesloten deuren van zijn huis, naar de geur van kamfer in zijn kast, het verwijtende tikken van de klok op de gang, naar die vergetele vraag ook vooral, die leemte in hem.

Toen kwam het hoogseizoen eraan, oogsten, afkalven – nadien was hij weggebleven. Terwijl zijn knechten dobbelden bij Lodder, zich te buiten gingen aan drank en onzedige liederen, bracht hij de avond hier door, las de krant, legde patience, al tevreden als zijn volk de volgende dag te bestemder ure op het werk verscheen. Verder bekommerde hij zich niet om hen, zou hen, wanneer ze thuiskwamen met hun dronken koppen, ook niet opwachten bij de zijdeur zoals zijn vader deed, zodat ze met de meiden geen dingen zouden doen waar ze vlug spijt van kregen, in stal of onverlicht bodenlokaal. Liever dacht hij niet aan de mogelijke gevolgen: een meid die een ingreep aan zich moest laten verrichten die het daglicht niet kon velen.

Wel had hij een tijdje met het plan rondgelopen wat meer aansluiting bij zijn familie te zoeken, een hecht verband van neven en nichten om zich heen te organiseren. Laatst, op zijn achttiende verjaardag, had hij ze allemaal uitgenodigd – voor het eerst. Al bij hun aankomst werd hij overvallen door spijt en onbehagen. Ze waren zo ongedwongen. Eén neef had vragen gesteld over dat vlotte 'cocktail' op de invitatiekaart. De verdere avond had Berend glazen gevuld, asbakken geleegd, in het vuur gepord – zonder een woord. Het had hem gesterkt in het besef van hoe hachelijk nieuwigheden waren. Daarbij, 'verband om je heen organiseren' tastte de persoonlijke vrijheid aan. Kennelijk was niets hem dierbaarder.

Ook had hij er even over gedacht een hond te nemen, zoals Hensius. Het waren zulke sociale dieren, maar ook dat had niet door kunnen gaan. Van een hond mocht je verwachten dat hij je afleiding en vriendschap gaf en zich koest hield als je even geen zin in hem had, maar niet dat zo'n beest je leerde hoe een beter mens te zijn. Daar waren honden niet voor.

Een blauwe maandag had hij toen nog gemeend dat het misschien goed zou zijn zich tot een kerkelijk genootschap te bekennen, net als zijn moeder. Maar één bezoek aan Het Vrijzinnig Evangelisch Genoodschap in Aaland, en hij zat weer thuis onder zijn koe. Hij hing niet zo aan genootschappen, hing niet aan dat soort leven. Waaraan wel?

De rust in huis leek ondragelijk te worden. Ook die erflast speelde weer op, aangenaam somber, zondig bijna – zijn maag verkrampte. Hij zou zich maar beter wat matigen met zijn port. Op hetzelfde moment had hij dan weer zo'n ingeving en zou hij gewild hebben dat hij iemand naast zich had.

Met alsmaar grotere regelmaat deden zulke momenten zich voor de laatste tijd, vaak ook overdag. Ja, zo er al sprake was van hang naar gemeenschapsleven of iets dergelijks, dan uitte die zich nergens duidelijker dan in dat ene groeiende besef: dat hij zich aan een geliefd persoon zou willen wijden.

Hij dacht er maar liever niet aan, want het scheen dat je zoiets beter aan de voorzienigheid kon overlaten. Ik

zie wel, dacht hij. Hij was in die dingen nu eenmaal trager dan de meesten, en wat was daar mis mee? Dag in
dag uit liep je bevelen uit te delen, plannen te maken,
van alles en nog wat te regelen. Mocht er dan niet één
ding zijn dat buiten je controle viel?

Een geliefd persoon... De port steeg hem naar het
hoofd, hij wist: ik zit mezelf wat voor te spiegelen. Zijn
hele wezen raakte ervan doortrokken, wat vreemd was
eigenlijk, vond hij zelf, onzinnig een beetje. Liefde had
hij nooit gekend, voor niets ook liefde opgevat, of
hooguit voor zijn koeien.

16

Hoewel Ludo en zijn knecht zich ruimschoots rekenschap hadden gegeven van de hoeveelheid beslomme-
ringen die het creëren van een nieuw ras met zich
brengt, viel het, eenmaal begonnen, toch weer tegen.
Het raadplegen van stamboeken, stamtafels, deklijs-
ten, geboorteregisters, van achttientachtig tot heden –
het ging wat betreft tijd en moeite de ramingen ver te
buiten. Alleen al het haardvuur al die tijd aan de praat
houden vergde een maximum aan concentratie en
handenvol werk.

Om middernacht verdiepten ze zich in de keurings-
lijsten uit Bleek. Om halftwee ondergingen die van
Domhold een even scrutineuze behandeling. Gedurig
prikten ze foto's op de wand van zwartbonte dieren,
favorieten ooit, kampioenen, nationale celebriteiten –
foto's genomen van links, rechts, van achter dan wel
van voren. Moes dacht dat Ludo nu elk moment kon
zeggen: 'Let's call it a day'. Maar nee: stierkeuringsrap-
porten – eerst de centrale, vervolgens de lokale, in elk
van de drie categorieën: exterieur, productie en afstamming.

Elke nacht werd het later. De stapels slonken zien-
derogen, maar je had je niet omgekeerd, of ze leken ho-

ger dan voorheen. Rapporten over afstamming, met lijst van deugden en gebreken... Verslagen en waarderingen van *Het Nederlandse Stamboek* en die van de Staatsconsulent voor de Veeteelt... Catalogi van keuringen gehouden wegens het vijftienjarig bestaan van de Vereniging van het Friesch Rundvee-stamboek te Leeuwarden...

Moes vertoonde tekenen van uitputting.

'Hou daarmee op, knecht,' zei Ludo met een stem schor van vermoeidheid. ''n Stier als Driek maak je niet in 'n dag.'

Op het eind bleken ze dan ook nog bar weinig profijt te hebben van de kennis opgedaan uit de boeken. Weliswaar waren ze stieren tegengekomen die furore hadden gemaakt, en koeien met kwaliteitsuiers, Ludo ging toch liever op eigen waarneming af. 'Want, knecht,' praatte hij Senior na, 'meten is weten!'

Vanaf die dag bezochten ze veemarkten in de omgeving, liepen rundveetentoonstellingen af, maakten fokveedagen mee zonder er een te missen, van Bleek tot ver voorbij Drijwold. Het merendeel van zijn eigen koeien had Ludo weggedaan. Het melken van de weinige die over waren, gaf hij aan dagloners uit handen of aan een enkele losvaste knecht.

Bij het eerste krieken stonden ze buiten en stuurden hun paarden de dijk op, stapvoets, zonder zich te haasten.

'Mooie lucht,' zei Ludo, 'mooi babyblauw en roze.'

''n Dag om te zaaien,' zei Moes, want hij maakte zich

zorgen over de voedervoorraad voor het volgende jaar.

Langs modderwegen trokken ze, over aarden bruggen, over andermans erven. Als ze daar iemand tegenkwamen, groetten ze, maakten een praatje, altijd nieuwsgierig naar berichten over de runderpopulatie, en reden weer door open land.

Na de studie bleek ook de praktijk geen onmiddellijk succes te sorteren, als het ging om de grondstof voor een roemrijk geslacht. ''t Oldambt is groot,' zuchtte Ludo, ''t wordt zoeken naar 'n speld in 'n reusachtige genetische hooiberg.' Maar hij liet er zich niet door ontmoedigen. Met elke minuut duurde zo'n dag van beproevingen een minuutje korter – voor je 't wist was het avond, wat in hun geval betekende: rapporten, geboortelijsten, stamgegevens, tot ze er zowat bij neervielen.

Maar de volgende morgen, wanneer Moes bij hem aan de bedstee klopte om te zeggen dat de stoof al brandde in de keuken, dan trof hij Ludo aan, zo fris als een hoentje, geen vuiltje aan de lucht. Hij zat rechtop in zijn satijnen pyjama. 'Ik blijf nog even, knecht,' zei hij. 'Ik zit hier goed. In bed krijg ik altijd m'n beste ideeën.'

Meteen werd in detail besproken wat ze zouden doen die dag, welke dorpen en stallen bezocht zouden worden. Ludo droeg zijn knecht zelfs op per telefoon het bezoek alvast aan te kondigen, heel wel wetend dat Moes nergens een grotere huiver voor had dan voor dat duivelse apparaat, dat laatste speeltje van Ludo.

'Oefenen, knecht. Oefenen en nog eens oefenen. We

moeten in conditie blijven om deze slag te kunnen leveren.'

Half maart... Puur op intuïtie waren ze die dag op zoek gegaan in een uithoek van het Oldambt, rond Oldenpolder, waar ze een paar ongeklasseerde zwartbontboeren bezochten, nijvere sappelaars die nooit meedongen bij de Bond. Die bleken, zonder het zelf te beseffen, voortreffelijk vee op stal te hebben: stieren met meer dan voldoende munitie en koeien mooi melktypisch, heel bijzonder, een melkaanleg die voor een keer eens níét ten koste van levensduur ging.

Van elk van deze stieren raadpleegden ze het sprongregister, maten de welving van ribben en flanken, de hoogte van de zitbeenderen. Van heel wat dochters lichtten ze de staarten op, keurden de benen, de uierdiepte, de wijdte der speenkanalen en andere melktekens, tevens dringend om inzage verzoekend van de stamgegevens van al deze dieren. Immers, wilden ze uitsluitsel over de vraag of de verlangde eigenschappen aanwezig waren, dan zouden ze in laatste instantie niet op het onderhandige dier, maar op de bloedlijn ervan moeten afgaan.

Koud licht draalde in het land, hogerop was het al bijna nacht geworden, toen ze eindelijk op stee kwamen en de beslijkte stevels uittrapten. Ludo belde om vuur in de haard.

'Er is wat gebeurd vandaag, knecht,' zei hij, 'er is wat bereikt. Van nu af aan alle remmen los.' Het zou tevens de eerste keer zijn dat Moes hem een sigaret zag roken, een uit een rood doosje met gele palmen en piramides erop.

Alsof hij geweten had dat deze dag een belangrijke wending ten goede te zien zou geven, had hij de meiden een krachtige *bouillon boeuf bourgignon à la moutarde* laten klaarmaken, gevolgd door konijnenragout gestoofd in tafelbier, met geconfijte kweeperen na. Geen wonder dat hij na het eten de meid wéér moest bellen, dit keer om een tablet sodabicarbonaat.

Hij wist niet of hij moest janken of juichen, Ludo. Lamlendig porde hij in het vuur, maar hij was nog niet neergezakt voor zijn gobelin, of fris als een hoentje sprong hij weer op en zette zijn nieuwste aanwinst aan: de tafelventilator. Naast de ottomane stond die, op een laag tafeltje onder de palm. Om hem optimaal te kunnen benutten wierp hij extra blokken op het vuur, sloot de overgordijnen, belde om warme glühwein, even later om een met pluche beklede heetwaterkruik voor onder zijn voeten.

Moes pufte, het wammes moest erbij uit. Ludo vond dat overdreven, provocerend, of op z'n minst een reden tot belering. 'Extreme temperaturen zijn nodig voor 'n goede analyse,' zei hij. 'Absoluut onmisbaar bij 't plegen van overleg tussen boer en knecht in 'n weerbarstige zaak als Driek. Veel hangt af van zulk tweeberaad', en opnieuw zou het daar die avond niet aan ontbreken. Want opnieuw doken ze in de boeken.

Oldenpolder – uit die hoek moest het komen, dat stond vast. Daarom keken ze nog eens grondig naar de antecedenten van Oldenpolderse vadersvaders, vergeleken de fokwaarde ervan met die van bruikbare, eerder geselecteerde vadersvaders, legden tabellen van eerdere vadersmoeders naast die van even plausibele vadersmoeders, taxeerden van elk dier de mate van aanleg voor intermammaire infecties tijdens droogstand...

Verstoord keken ze op: de bel galmde in het voorhuis, twee keer snel achter elkaar. 'Als dat Deit niet is,' mompelde Ludo.

'Zo laat nog?' zei Moes, en hij ging de gang op en trok de voordeur open. Zonder te groeten liep Deit hem voorbij en stond in de woonkamer, hoogrood.

'De zijdeur op slot? Waar is dat voor nodig?'

'Glühwein?' vroeg Ludo.

'Waarvoor dat?!'

'Dat is dus geen ja en geen nee,' zei Ludo.

Ze ging op de ottomane zitten, die deze nedervlijing met een zacht kreunen beantwoordde. Vol afschuw ving haar blik het rode pakje met de piramides erop. 'Toe maar, 't kost niks.'

'Graag of niet?' hield Ludo aan.

Toen kreeg ze de doos batterijen in de gaten, vlak bij haar voet, voeding voor Ludo's ventilator. 'Níét,' zei ze toen pertinent. 'Niet, voor je me zegt wat dít hier heeft te betekenen.'

'Uit m'n spaarpot,' zei hij.

'Ja, dat zei je van dat wandkleed ook. Ik zou die spaarpot van jou graag 'ns willen omkeren, Ludo. Belachelijk gewoon... Twéé dochters voed ik op, en Wapko en Sijkes erbij, terwijl jij hier maar onzinnige sigaretten zit te roken.'

Ludo nam er een, maar vergat hem op te steken, ge-fascineerd als hij was door het witte randje van haar onderjurk dat onder haar rok uit kwam. 'De melk kookt over, Deit,' zei hij met een knikje. Ze had hem kunnen áánvliegen.

Arme Deit... De nijd die ze koesterde jegens haar broer, de haat die ze van kindsbeen af had bestreden in zichzelf en nooit helemaal de baas was geworden... Haar leven lang had ze gesloofd, in de drukke tijd op het land, in het najaar de bonenpluk, de boterberei-ding, alles naast het gewone werk. Zo weinig werkelijk geluk kende haar leven, dat ze ook anderen hun illusies niet gunde en er maar weinig van heel kon laten. Moe-der was aardig voor haar geweest, zeker, een zuster-lijkheid die respect afdwong – zusterlijkheid is wat waard. Maar waarom was zij altijd achtergesteld bij haar broers? Waarom had zij altijd als laatste in bad gemoeten, om maar wat te noemen? 'Ná de mannen, Deit,' zei moeder. Dat had ze van Engelbert nog wel kunnen billijken – Engelbert had de oudste rechten. Maar toen moeders oogappeltje ter wereld kwam, ging die ook voor, zodat zíj in een bak lauw afwaswater kon stappen.

Maar goed, tóén ging het om haar – nu was de boer-derij in het geding. Ze kon het niet aanzien zoals Ludo met het kapitaal omsprong, ze mocht en zou niet lan-ger zwijgen. 'Luister, Ludo,' zei ze, 'ik verlang inzage in de boeken. Nu meteen.'

'Gaat niet, helaas,' zei Ludo, 'dat is privé. Iets tussen mij en de Staat der Nederlanden. Niemand weet beter dan de Staat dat je dient te investeren in jezelf als ondernemer.'

'Investeren? Jij? In prullen ja.'

'Moes,' zei hij, 'hou jij 't vuur in de gaten. Ik geloof dat ik gesteggel hoor in de keuken', en hij liep de deur uit.

Deit... Ze wist niet in wat voor staat ze was, in rouw of in woede, ze had meelij met zichzelf. Nooit had er van moeders kant ook maar iets van bijval afgekund, als zij, Deit, klaagde over de bevoorrechting van de man – nooit had er dat vertrouwen bestaan dat ze tussen moeder en Ludo waarnam. Of méénde waar te nemen, want wás het vertrouwen? Iedereen wist toch hoe het ging bij boeren; dat boeren van hun zonen hielden als van hun land? Als Engelbert er de brui aan gaf, ja, dan moest het nakomertje wel 'een oogappel' zijn. Niemand die dat beter begreep dan Ludo zelf. Die had zich van jongs af aan laten vertroetelen, had de kantjes eraf gelopen, had zijn sleutelpositie op de grofste wijze uitgebuit. Toch had vader het leeuwendeel van het bezit aan hem nagelaten. 'Het kapitaal blijft aan huis,' had hij gezegd. 'Als dat groeit, groeit onze Ludo wel mee.' Háár hadden ze afgescheept met een vermolmde kast, moeders japonnen en driehonderdtwintig gulden...

'En wat hoor ik nu weer voor berichten?' zei ze, toen Ludo binnenkwam, met een speelse hond rond zijn voeten. 'Hoe komen die boeken hier? Wat moet die papierbarrel?'

'Goeie vraag. Hoe komen die boeken hier, Moes?

Heb jij die daar neergelegd?'

'Ach hou toch op,' viel ze weer uit. 'Door en door verwend jij, zowel door vader als moeder!'

Sir Anthony bleef aandacht vragen. In een lichte, hippische draf doorkruiste hij de kamer, snuffelde aan Deits schoen en ging voor haar zitten, nieuwsgierig naar haar opziend.

'Drie kinderen voed ik op,' zei ze, 'en 'n man. En wat doe jij? Over dít hier fantaseren, dit misselijk beest. Weg! Weg jij!'

'Geen beest, Deit,' zei Ludo. ''n Trippett.'

''n Gedrócht! 'n Ondier zonder enige garantie dat 't vannacht al niet crepeert! Daar geef jij ons vermogen aan uit.'

'Méér,' zei hij, 'je moest 'ns weten tegenwoordig, je betaalt je blauw. Verzending, invoerrechten, inenting, afgezien nog van de fooi. Ik ben gewoon moe van 't geld uitgeven.'

'Nietsnut!'

'Doe je zachtjes met de deur?'

De ruiten trilden.

'Kijk, dat bedoel ik, knecht. Kwaadheid... Is er iets hatelijker in 'n stier dan dat? 'n Beetje zelfbeheersing mag onze Driek wel hebben. Koel blijven, onder alle omstandigheden.'

17

Berend veegde zijn mond af met zijn servet en boerde, hij kon het niet helpen. Al dagen had hij last. Misschien at hij te zwaar. Of was het drinkwater vuil? Hij zou Frieka in elk geval attenderen op striktere naleving van de hygiëne.

Versuft staarde hij naar buiten. Geen zon, geen regen, en dat al wekenlang, hij werd er flauw van. Hij voelde zich even besluiteloos als de natuur, net zomin wetend wat aan te vangen. Zou hij naar Aaland gaan, naar de middag van de Bond, of thuis blijven? Hoewel hij nog niets had besloten, had hij zijn maaltijd een half uur vroeger laten opdienen dan anders. Áls hij ging, moest hij opschieten – het was al kwart voor een.

Nee, hij bleef maar beter thuis, met die oprispingen en winderigheid. En dan: Dröve die zou komen, en Hensius, de hele meute van Het Kromdiep – ook dát speelde mee...

Hij kon het niet winnen van zichzelf, Berend. Bij de gedachte aan Aaland vloog de angst hem aan. Thuis zijn tijd verdoen trok hem al evenmin. Als hij eraan dacht hoe de anderen bijeen zouden zijn ginds, werd het leeg om hem heen. Onverhoeds kwam met de gevoelens van leegte en onvolledigheid ook die oude wensdroom weer op: dat hij ooit iemand de zijne mocht heten, maar wie? Hij had zich dat vaak afgevraagd. Drie jaren waren voorbijgegaan sinds de dood van zijn vader. Al die tijd had hij er niet het flauwste vermoeden van gehad en was het bij vage wensdromen gebleven. Maar gistermiddag, toen hij bezig was in het land... Ineens leek die vraag een stap dichter bij een antwoord gekomen.

Wie dat wel mocht zijn... Met enige regelmaat waren in het recente verleden de gezichten van de wichten van Sijkes opgedoken, Do en Klazien, met wie ook vroeger al wel blikken waren gewisseld. Maar toen wisten die eigenlijk nog niet goed wat er te koop was in de wereld. Hij zag ze nog staan bij het diep, klungelend met Ludo's vlieger die te water was geraakt. Hij had hen zijn hulp geboden, had hen mee de waard in genomen die vroeg droog stond dat jaar en waar tussen eilanden van bies en ranonkel de paarden van zijn vader rondliepen – zijn vader, die toen nog leefde. Juist was een hengst briesend een merrie aan het bespringen. De wichten van Sijkes bang! Altijd moest hij grinniken, als hij daaraan terugdacht. Zelf had hij het namelijk wel geinig gevonden, had opzettelijk woorden staan uitkramen als 'tochtig' en 'drachtig' en 'dat 't met man en vrouw niet anders ging'. Doodsbleek was Klazien naar huis gerend. Blijkbaar wist Do ook niet wat haar overkwam. Ze zette grote ogen, zei dat ze best méér wilde weten over paarden en runderen, mannen en vrouwen, over het boerenbedrijf in het algemeen. Toen had híj, Berend, met een mond vol tanden gestaan.

Nee, hij had lang niet geweten wie of wat, Do of Klazien, hij had nog geen stappen overwogen. Onafgebakend lag zijn leven aan die kant – het had lang onrust gegeven.

Maar gistermiddag... Laat was hij nog bezig. Dubbelspan. Nevel trok op uit de sloten. Dagenlang was het somber geweest. Nu liet een fletse zon zich weer even zien, laag boven het land. Plotseling had een van zijn Oldenburgers de oren opgestoken. Aan de kop van de akker zag hij Klazien staan, een collectebus in haar hand. Hij stak zijn arm op, toen ze rammelde met de bus, stapte van de wagen, stond vóór haar, zwaar ademend, terwijl zij scheel tegen de zon in naar hem op gluurde. De zilveren scheepjes in haar oren glitterden. Ze had een witte schort aan, een schoon kraagje, net als Do altijd, als alle meisjes na school. Maar dat van haar leek witter, zo in dit bedompte land.

Ze zeiden van hem, Berend, dat hij zuinig was. Het hing er maar van af wie hij voor zich had. Voor háár had hij diep in de buidel getast. Ze wachtte nog – waarop wist hij niet. Hij bukte, raapte een kluitje op, hij voelde zich zo, ja wat? onwezenlijk misschien. Heel duidelijk zag hij toen wat hij moest doen, wat hij wilde: haar hand nemen, maar stond daar met dat kluitje in zijn hand, het fijn wrijvend tussen zijn vingers, schrok van de beving in zijn stem, toen hij zichzelf hoorde zeggen: 'Beste grond, Klazien. Goeie grond moet opgevoed worden.'

Elk jaar gaf de Bond een voorlichtingsmiddag. Praktisch alles wat het Oldambt rijk was aan veeboeren was present in de Vleeshal in Aaland, behoudens ieder die er zijdelings belang bij had, en dat waren er velen: veeartsen, assuradeurs, commissionairs, want alom werd de Bond erkend als de hoogste vorm van coöperatie. Economen van de provincie hielden er een praatje, stierenfokkers presenteerden er de stamlijsten van hun nieuwe dieren, melkboeren staken er hun licht op – alle verrichtingen inzake een oordeelkundige bedrijfsvoering kwamen aan bod.

Kromzicht werd vertegenwoordigd door Hensius. Diens eeuwige schaduw was er dus ook. En Sijkes natuurlijk, die als wethouder 'veeteelt' in zijn portefeuille had. Ze zaten bijeen aan een tafeltje achterin. Berend kon zich niet aan hun gezelschap onttrekken en schoof na een schuw 'goeiemiddag' een stoel bij.

Ja, hij was ten slotte toch maar gegaan, in de stille hoop Ludo niet tegen te komen. Nu die er wel was, kruiste hij zijn vingers dat Ludo tenminste zijn mond zou houden over die Dricus van hem, dat 'wonder' dat in de maak was en waarover men in Kromzicht de mond vol had. Maar voor de rest... Zijn humeur was eigenlijk heel behoorlijk, merkte hij. Kwam zeker door dat voorval gisteren in het land. Hij voelde zich zowaar op z'n gemak, milder gestemd dan anders. Een soort gezapige slapte rond zijn altijd in afweer geheven wenkbrauwen deed ze nu neerhangen. Alleen voor Sijkes was hij nog wat benauwd; dat die weer over de premies zou beginnen die hij, Berend, al dan niet terecht opstreek van de Bond.

De hal liep vol. Om hen heen zat het volk druk te praten, in afwachting van het moment dat de heer Kodde, voorzitter van de Bond, het openingswoord zou spreken.

'Nou, Berend,' zei Ludo, 'laat je koeien maar komen. Nog 'n jaartje of twee, en 't ziet zwart van de Drieken op Tiedemaborg.'

'Zou 't?'

'Reken maar. Onze Dricus trekt 'n spoor door je stallen.'

"t Kan wachten,' zei hij.

'Nee, van z'n leven niet,' ging Ludo voort. "n Tiedema laat z'n koeien nog liever door 'n ezel dekken.'

Berend wist het, hij liet zich weer uit de tent lokken toen hij zei: 'Mijn koeien doen nog altijd mee. Liever veertig dieren met gemiddeld hoge posities in 't klassement dan één uitblinker.'

'Als je goed kunt tellen wel, ja,' zei Ludo. 'Veertig vette dieren leveren meer premies op dan een dat gezond en mager is.'

'Premies... Mag 't asjeblief? Nog even en 't is 'n schande dat 'n boer voldoet aan de vraag naar melk. Iedere ondernemer weet: zonder melk houd je 't hoofd niet boven water.'

'Vetmesten die beesten! Lijnkoeken! Opvoeren! Maximale attentie! Of anders maar afmaken. Ik snap die gewoonte van sommigen niet om hun stieren geen oude dag te gunnen.'

'Stieren?' forceerde Berend een lach. "n Stier is voor

jou niet meer dan 'n ding waarmee je prijzen kunt winnen.'

''n Stier is iets waarvoor ik blóéd vergiet! Onze Driek? Voor 'n stier als hem ben ik bereid te stérven.'

'Nou nou, Ludo,' greep Sijkes in, 'zo gaat 't wel weer. Men moet niet dramatiseren.'

'Zuiver bloed!' zei Ludo. 'Zuiver bloed en zuivere stront! Oldambtsters zijn niet dom, noch lui of verkwistend. Maar ze zouden wat meer zélfdunk moeten hebben.'

Berend verging van ergernis. Dat Sijkes er nu weer aan te pas moest komen om Ludo op z'n nummer te zetten! Zijn handen jeukten. Gelukkig betrad juist de heer Kodde het podium.

De heer Kodde verzocht om stilte door een paar keer met het deksel van de lessenaar te klepperen en oefende zijn stem op de aanhef: 'Geachte aanwezigen. Sinds een tiental jaren, om precies te zijn sinds negentienhonderdzeven, heeft de Nederlandse Staat reeds vele maatregelen genomen om de rundveeteelt ten onzent op een hoger plan te brengen, haar zogezegd internationeel in de markt te tillen. Zo stelde zij consulenten aan, subsidiëerde zij aanmaak van deugdelijk fokmateriaal, richtte zij overal in den lande stamboeken op en ga zo maar door. Ook stelde zij keuringen verplicht. Belangrijk, want het is bij dit laatste dat ik een ogenblik wilde stilstaan. Ieder van u zal zich de vroegere keuringen herinneren en hoe onnauwkeurig die waren. Erger dan plagen, daar ze werden verricht door experts die geen rekenschap meenden te hoeven afleggen van hunne bevindingen, met als gevolg: kritiek op de juryleden, ook op de goede – allen werden verdacht wegens bevoordeling hunner vrinden.

Thans is deze toestand een krachtig halt toegeroepen. Beredeneerd verslag wordt nu verlangd, van elke keuring, vermeldend de gronden baserende het oordeel. Vernoemd zij verder de invoering van ons puntenstelsel ter toewijzing van de beschikbare premies voor vetgehalte – waarmede we precies zijn aanbeland bij wat ik van stonde af wilde zeggen: dat dit, ons nieuwe puntenstelsel, ook gevaren kent! Met name wijs ik op de verleiding tot misbruik. Nog altijd zijn er onder u enkelingen die hun stieren te zeer verwennen, ze vetmesten, oppappen, in de veronderstelling daarmee oneigenlijke tegemoetkomingen te incasseren, een laakbare praktijk, daar zij voedsel verspilt niet alleen, maar wat veel erger is: zij leidt tot verminderde weerstand, ja zelfs tot regelrechte onvruchtbaarheid!'

Een stukje van Koddes betoog ging hier voor Berend verloren, want hij meende dat Sijkes en Ludo hem van opzij stonden aan te kijken. Maar toen hij keek, bleek dat niet het geval. Wel hadden ze beiden een glimlach om de mond.

'Het arme dier wordt volgepropt,' voer Kodde uit, 'terwijl men geen boer hoeft te zijn om te weten hoe grote schade het lijdt door deze ziekelijke overbemesting. Men dient derhalve goed te beseffen dat wij, van de keuringen, zulke fokkers niet meer zullen voordragen voor onze premies. Ze mogen hunne pinken koeken geven wat ze willen, des te sneuer voor deze dieren, daar ze voorgoed aan een lijntje in de wei belanden.'

Bij die woorden ontstond er meer rumoer in de zaal en was het Berend of álle ogen op hem gericht waren. De rest van de toespraak hoorde hij maar half. Het moest gauw ophouden nu, of hij zou opstaan en de deur uit lopen.

'Welnu,' zei Kodde, 'laten wij geen dieven zijn van onze eigen natuur. Laten wij niet de schouders ophalen, noch denken: 't zal mijn tijd wel duren. En vooral: laten wij ons niet vlijen met de gedachte in een mum van tijd op dit punt een ideaaltoestand te zien ontstaan. Verbetering is er. Dat wij voortgaan op de ingeslagen weg – zo verklaar ik, bij vorstin en vaderland, de middag voor geopend' en bij gebrek aan een voorzittershamer liet Kodde het deksel eenmaal met een fikse klap neerkomen.

Men kwam in beweging. Berend bleef waar hij was: op zijn stoel. Van koffie of jenever zag hij af, alsmede van beraad dan wel intekening. Toen hij ten slotte toch opstond, was het om met een waas voor ogen de hal uit te glippen.

Thuis liet hij zijn kont in de rookstoel vallen en zat daar, zijn haat voedend bij een koude kachel, zich opvretend dat hij Hensius niet zijn vet had gegeven. Premies! Hij zou hem zó een lesje 'verantwoord boekhouden' hebben bezorgd, gratis, zonder zijn mouwen ervoor op te stropen.

Zijn sigaar smaakte naar niets, hij legde hem weg. Het paars van de wanden leek zijn woede na te bootsen. Toen kwam hem, zomaar ineens, dat gebeuren van gistermiddag weer voor de geest en bevreemdde het hem dat hij hier zat te mokken, in z'n eentje in dit voorvaderlijk vertrek. Belachelijk, welbeschouwd. En ook die woedende wanden stonden hem zwaar tegen.

Hoog tijd dat ik de behanger laat komen, dacht hij. Wat zal 't worden, groen of beige? Of nee, laat ik Klazien Sijkes vragen een kleurtje te kiezen... Ineens was hij zijn zielige wrok jegens alles en iedereen vergeten en was er weer licht in de zaak gekomen.

Maar toen hij in de kooi stapte en de lamp uitblies, toen begon ook dat besef weer te knagen: dat hij iets moest ondernemen, zeer binnenkort, begon de vrees post te vatten dat hij zijn kans voorbij liet gaan.

18

'Dé moeilijkheid bij het fokken is wachten, soms jarenlang' – Moes hoorde het Hensius senior nog zeggen in de keuken. Ware woorden, dat werd nu wel duidelijk. Wachten en wachten zonder je hoofd te verliezen. Wachten en verstrooiing zoeken bij een spelletje kaart. Wachtend uit de ramen turen en zien hoe de seizoenen elkaar najoegen over het land.

Ludo had met zijn Driek een hoog doel voor ogen, maar hij liet er zich niet door meeslepen. In het begin, toen Driek nog slechts een gril was, mocht hij een grote mond hebben gehad – nu stond hij op het punt te bevallen van dat plan. Drie jaren waren voorbijgegaan, en al die tijd was hij indrukwekkend kalm gebleven, de bescheidenheid zelve. Hij had de tijd gedood met vissen, fietsen, tuinieren, lezen vooral. Hij was zelfs naar de voorlichtingsmiddag van de Bond geweest, iets wat eerder nog niet in zijn hoofd zou zijn opgekomen, ook al was hij een lidmaat.

Door die mentale pas op de plaats viel het wachten hem en Moes alles bijeen toch nog gemakkelijk. De tijd was omgevlogen. Al bij de eerste worpen hadden ze succes geboekt. Al in de tweede lente waren de beoogde eigenschappen in zicht gekomen. Ludo zei niet anders te hebben verwacht, maar waarschuwde: 'We zijn er nog niet.' Toch koesterde hij dit jongvee, zonder flauw te doen, als kinderen van nationale allure.

Wachten, de lastigste kant van de onderneming. Wachtend de wind smook in de kamer zien slaan. Met wachten bewijzen dat je een fokker was. Wachten op Driek, zoals de Ouden wachtten op de komst van de Heiland. Jaren verdoen met wachten, en merken dat het toch drukke en emotievolle jaren waren.

Voortdurend regelde Ludo warmte en licht in de stallen, zorgde voor de gunstigste omgevingsinvloeden, bepaalde voor elk kalf afzonderlijk akelig nauwkeurig aard en samenstelling van soorten voeder, mengde aspirine door hun maal, sodabicarbonaat, haarlemmerolie, en jaagde op bacteriën en parasieten tot in de diepst gelegen kwartieren van het runderlichaam.

Een klein deel van het vee hield hij apart, om er eventueel optredende schade mee te verhelpen. Geen week ging voorbij of hij spoorde een nieuwe, in 't geniep meegesleepte, ziekte- of doodbrengende eigenschap op – eerste stap tot uitbanning.

Bij winterdag joeg hij zijn jongvee een uurtje de wei in en terug, en ook zijn reservisten kregen beweging. Het was geen ongewoon gezicht, als je Ludo Hensius met een hoogzwangere koe door de Voorstraat zag lopen. Altijd zette hij dan bij Lodder even de deur open, liet haar de lucht van bier en tabak opsnuiven en ook voor de werkplaats van Wildvang stopte hij, om haar vertrouwd te maken met de klank van staal op staal.

'Aan 't wandelen, oom Ludo?'

'M-m... Kromzicht zien. En jou, Klazien. Zorgen dat 't kalf ontvankelijk wordt voor prikkels uit 't Oldambt. Zeg zelf, meisjes ruiken nu eenmaal anders dan graspollen. En Kromzichter meisjes weer anders dan die uit Domhold.'

Kromzicht haalde de schouders op over deze raszuiverheidbevorderende wandelingen van Ludo. Bij Lodder zei iemand: 'Straks laat Hensius z'n augurken nog uit.'

Zelfs toen ze hun derde jaar in waren gegaan: dezelfde kalmte, dezelfde gelijkmoedigheid, dezelfde Ludo. En toch, had hij zich tot dan toe laten drijven op zijn vertrouwen in Driek, zich als het ware aan dat vertrouwen overgegeven, zich er wellustig door laten wiegen als een kind in de armen van een vroedvrouw, dan leek hij nu ineens gespannen, bezorgd dat er op het laatste moment toch nog iets mis kon gaan; dat hij iets over het hoofd zag, iets liet glippen, de controle zou kunnen verliezen.

'En nou maar hopen dat-ie 'm wint, de grote pries van de fokveedagen,' lachte Moes op een keer aan tafel.

'Vroeg ik je wat?' zei hij. ''n Knecht die praat voor ikzelf wat heb gezegd? Onacceptabel! Eét! Je soep wordt koud.'

De verdere maaltijd verliep in zwijgen. Maar toen Moes zich na de koffie schielijk wilde terugtrekken, zette Ludo ineens weer een zonnig gezicht. 'De prijs van de fokveedagen! Hoe kom je d'r op! 'n Fokker fokt niet voor lintjes, vaantjes, eremetaal! 't Gaat hier om bloed, knecht! Slím bloed, slimme organen – om de toekomst van 't Oldambt, niet meer en niet minder!'

'Kom, ik moet nog doen aachter,' zei Moes.

'Goed, ga, maar vanaf morgen houd je je handen schoon! Gruwelijk zoals jij met mest loopt te sjouwen. Daar hebben we arbeiders voor. Desnoods neem ik er nog eentje bij.'

Hij draait wel bij, dacht Moes, maar het werd alleen maar erger. Misschien was het beter geweest als hij niet dat boek van oom Albert in huis had gehaald: van ene Macchiavelli. Hij was ervan in de ban geraakt, 'm'n vademecum' noemde hij het. Ineens gedroeg hij zich 's avonds aan tafel weer als een patriarch, een absolu-tistisch vorst, als Napoleon op Elba, net als in het be-gin, toen hij pas erfgenaam was geworden en zij voor het eerst onwennig met elkaar in de deftige kamer aten.

Nee werkelijk, hij was uit zijn doen, Ludo, het zat hem niet mee de laatste tijd. Zomaar ineens verviel hij in zelfbeklag, noemde zichzelf ''n heerser over 'n me-nagerie van vier meiden, 'n stel koeien en 'n manke knecht'. De volgende dag maakte hij het nog bonter. Toen was hij ''n weldoener smadelijk door 't volk van de troon gestoten' en begon hij te beknibbelen op de vrijheden die hij Moes zo niet verleend, dan toch bijge-bracht had, stuurde hem na binnenkomst terug de gang op met het verzoek netjes aan te kloppen en liet hem, nadat hij aangeschoven was, weer opstaan en 'met permissie' zeggen.

En o wee, als een van de meiden het eten ook maar een minuutje te vroeg aankondigde! Dan nam hij haar

mee naar de keuken en leerde haar klok lezen, filoso-
feerde hij over het waarom van deze treurige, dagelijks
terugkerende ceremonie van tafelen en borrelen en
laste een pauze in, een periode van versterving, met als
gevolg dat ze een week lang op een oude korst kauw-
den en enkel pompwater dronken. 'Oef,' deed hij dan,
'hoe weinig men ook eet, 't is toch altijd weer te veel.'

Dagelijks slikte hij valeriaanolie tegen de afgewerkte
zenuwen, nam hete baden met berkenblad, lag voor
zich heen te turen in zijn stenen tobbe, drie, vier uur
lang, gedurig verversing van het lauw geworden water
verlangend, zodat Moes emmer op emmer kon aan-
sjouwen uit het stookhok buiten, waar de houtgestook-
te boiler zich bevond, laatste vrucht van Ludo's immer
innoverende geest. Als het badwater weer aangenaam
was, dan veerde hij op, begon druk te praten, zijn
knecht te onderrichten, hem de beginselen bij te brengen van de euclidische meetkunde, te praten over de
meest uiteenlopende zaken. Over flagellantisme en
duiveluitdrijving. Ontdekkingsreizen naar Arabië en
de Congo. Over de graaf van Monte Cristo. Over de
Verlichting. Dat er toen adellijke dames waren die verliefd werden op vrijheidslievende schrijvers die in de
mode waren. Dat die dames hun idolen als liefdesblijk
geschenken stuurden – wijn, fazanten, potten boter,
maar dat zo'n schrijver niets van die tantes moest hebben. Dat de dames hem desondanks uit het diepst van
hun hart smeekten hen de eer aan te doen die twee pot-
jes boter te aanvaarden. Dat ze, als hij bleef weigeren,
wraak namen door hem niet twee, maar twíntig potten te sturen...

Ja, een beetje nerveus was hij wel, Ludo, het viel niet te ontkennen, prikkelbaar, méér naarmate het voorjaar naderde. Hij slenterde door het huis, dagenlang onaanspreekbaar. De meiden kregen rust, hij meed ze en ook zij hielden zich gedeisd. Eén keer zagen ze hem lopen op zolder, 's middags, in weinig meer dan zijn jaegergoed en een kort nachtvest met halve mouwen – als een geest. Ze maakten zich uit de voeten, hoorden hem roepen: 'Weg, weg, uit m'n ogen! Tussen u en mij leeft 'n gedachte die toenadering verbiedt! Toenadering is 'n slechte gewoonte voor 'n heerser. Voor je 't weet, heb je wulpse koeien...'

Ach, zenuwen, irritatie – Ludo besefte het zelf: nergens voor nodig, zolang ze zich aan uitgekiende paringen hielden, paringen die alle vielen onder de noemer 'gewetensvolle inteelt'. Dat hij daarbij uitsluitend dieren gebruikte die gezond en vrij van fouten waren, sprak vanzelf – exemplaren die stuk voor stuk garant stonden voor niet minder dan twáálf grondslagen.

Begin maart scheen de zon onverwachts uit een blauwe lucht, maar in huis was het nog kil, vond Ludo, zo zonder vuur in de haard. Voortdurend nam hij zijn knecht daarom mee naar buiten voor een ommetje achterlangs. Of anders wel naar Aaland, naar oom Albert. Oom was aan het biljarten, in ochtendjas, hoewel het al halftwee in de middag was. Hij had nog geen tijd gehad zich te kleden, legde hij uit. Zijn oude meid was dood. Hij had nu een nieuwe, een struise met appelkleurige wangen. Hij voelde zich meteen een stuk fitter, vertelde hij, hij was een fervent beoefenaar van het biljartspel geworden.

Ook ging Ludo wel naar Stad. Moes ging mee. Een paar dagen logeren bij Engelbert. 's Avonds met hem naar de opera, *De barbier van Sevilla*. Afgeladen met zoetigheden, flessen bordeaux en rollen kostbare textiel keerden ze terug naar Kromzicht.

Eenmaal namen ze zelfs de veerboot naar Engeland, naar Durham, om daar de veeteelttentoonstelling te bezoeken, kennis te maken met Hubback, de wereldberoemde stier, grondlegger van het ras der Shorthorns. 'Ja, Moes, 't wordt tijd het land met 'n bezoek te vereren waar de grootste zoötechnici vandaan kwamen, het land van Sir Trippett – na alle moeite die wij ons getroost hebben in dienst van de erfelijkheid.'

Bij aankomst in Hull huurde Ludo een Austin, en omdat hij zelf niet kon chaufferen had hij 'some fellow' daartoe bereid gevonden. In Durham boekten ze voor *The Royal Arms*, het duurste hotel van de stad. Maar aangezien het expositieterrein ver buiten de bebouwde kom lag, naast een rangeercomplex, werd het overnachten in een uitgerangeerde spoorwegwagon. Van slapen kwam niet veel, want het was er vol volk, mannen en meiden die een donker brouwsel dronken en een verdacht brabbeltaaltje schreeuwden tot diep in de nacht. Voortdurend was Moes beducht om het automobiel, kroop tussen de andere slapers door over de vloer van de wagon om een blik naar buiten te werpen, maar kon het net niet zien achter de feesttent. Toen ze 's morgens wilden vertrekken, waren de banden weg, én de bagage – veel meer dan een motorblok was er niet van over.

Ludo was sprakeloos. Toch bleef hij kalm, of nee, hij leek gefascineerd, als had hij een visioen. Nog op de boot stond hij met grote ogen de kant van Engeland op te staren. Pas toen de kustlijn uit het zicht verdween, verbrak hij zijn zwijgen en stamelde: 'Dit moet 't land zijn dat Gulliver zag...'

Vaker overviel hen nu toch het idee van hoe ver ze al waren gevorderd met de realisatie van Driek. Ongemerkt viel alles op zijn plek. Stilaan nam het prijsdier gestalte aan.

Voor Ludo was dat steeds het signaal om extra waakzaam te zijn, vers bloed in te brengen, geleidelijk en stelselmatig en altijd op tijd, nog vóór een kwaad de kop kon opsteken, altijd bloed van al veredelde dieren, en niet enkel vanwege de zenuwen – alles om foktactische en rastechnische redenen.

Tot er geheel volgens de wetten van Mendel iets leek te ontstaan dat volgens Ludo 'systeem' vertoonde, hecht was, vrijwel volledig, in die zin dat elk van de twaalf eigenschappen berustte op de elf andere.

19

Haar mond was fijn, haar bovenlip krulde 'n beetje, wanneer ze lachte. Ze trok de aandacht of ze het wilde of niet. Dat een van haar voortanden ietsjes scheef stond, maakte haar gezicht niet mooier, maar wel meer dat van Klazien.

Vijftien was ze, eigenlijk nog een kind, te jong in elk geval om tot over haar oren verliefd te worden. Do had haar wat verteld over trouwen en kinderen krijgen en ook in de stallen had ze het een en ander gezien, maar ze wist nog niet alles, meende ze.

Voor zover ze zich kon herinneren, had ze maar één keer gebloosd in haar leven: toen ze verstoppertje speelden op straat en zíj zich achter het hok van Christiaanse tegen Menno aan drukte. Of nee, ook nog die keer in de waard met Do en Berend Tiedema, toen die hengst raar begon te doen en Berend het even later ook op z'n heupen kreeg.

's Nachts dacht ze daaraan, niet snappend hoe het moest zijn met een man. Of een man zich net zo stompzinnig zou gedragen als die hengst. Ze durfde het Do niet te vragen. Ze was gehecht aan Do. Aan Wapko ook. Van papa hield ze toch nog het meest. Zoals die haar soms op de knie kon nemen en 'druif' of 'magere spriet' noemde – niet echt vleiende benamingen, maar waar ze toch nooit echt kwaad om had kunnen worden.

Aan hem, papa, had ze het nog wel durven vragen: of mannen wreed waren 'in de liefde'. Voor papa was ze niet verlegen en bovendien: hij begreep die dingen. Toch had ze dat niet gedaan, om hém niet verlegen te maken. Op zulke momenten keek hij haar mal aan en vroeg: 'Is er wat, suikerbeest? Als je iets niet weet, moet je 't maar tegen je moeder zeggen.'

De jaren met de jongens waren voorbij, de tijd met Cobus en Menno – Menno Christiaanse, die zich al schoor en peuken opraapte van straat en het leuk vond om haar met eikels te bekogelen, maar thuis uit de winkel ook zuurstokken en gepofte erwten gapte voor haar. Do had dat doorverteld aan moeder. Die liep paars aan. Ze moesten binnenblijven, alle twee. 'Kinderen van Sijkes spelen niet met straatjongens,' had moeder gezegd. Nou, die keer dat Berend erbij was, had ze anders niet zo nauw gekeken. 'Berend is wat anders,' zei ze toen. 'Berend is oud en wijs genoeg en bovendien welopgevoed.'

Klazien was nijdig geweest op Do. Omdat díe haar mond niet kon houden, moest zij thuis zitten. Als je zag hoe Do met jongens omging... Met opengewerkte kousen was het wicht ooit op school verschenen en door de juf naar huis gestuurd. En vorige winter bij het baantje glijden... Do had de parel van moeder op haar muts geprikt, had haar nieuwe winterjas aan, eentje afgezet met sabelbont. Daaronder haar wollen rok.

Daaronder niets, haar directoirtje had ze thuisgelaten. Do had geen smaak. Gelukkig was moeder niets aan de weet gekomen, en dan nog... Ze deed dat soort domme streken wel vaker lacherig af, als het Do betrof, meer als vrouwen onder elkaar.

Nee, dan papa... Veel aardiger, minder bemoeial, papa hield van haar. Ook Wapko was zijn lieveling. Voor Do kwam zijn hartelijkheid met vlagen – wanneer hij Klazien te veel aandacht schonk bijvoorbeeld en wat had goed te maken.

Vaak katte Do haar vanwege dat 'meer' aan aandacht, of misschien alleen omdat ze zichzelf te dik vond en niet op het idee kwam minder drop te eten. Toch kon ze ook heel aardig zijn, zomaar ineens dingen zeggen die je enkel aan vriendinnen vertelt: dat trouwen haar hoogste doel was in het leven; en dat het haar een hemels gevoel had gegeven, die keer bij het baantje-glijden – het idee dat je 'in 't meest vrouwelijke' bloot was, zonder dat de jongens er ook maar een vermoeden van hadden.

Wat was ze toen kwaad geworden, Klazien. Ze stopte haar pop in bed en zei: 'Ik trouw niet. Nooit!' Ze ging in de liefdadigheid, zei ze, ze zou haar leven in dienst van de mensheid stellen. Veertien was ze toen, ze had de eerste pijnen gehad, moeder kon haar niets meer verbieden. Ze ging voor de armenzorg werken, voor de tuberculose, de drankbestrijding... Maar, had ze eraan toegevoegd, áls het ooit zover moest komen dat ze viel voor een man of hoe dat ook heette, dan zou het 'de grote liefde' zijn, een man voor wie ze alles zou doen wat hij vroeg, en alles zou verdragen en alles opgeven.

'O hou op, hou op,' zei Do verrukt.

Verleden jaar, toen ze voor het eerst bloed verloor... Het zat er aan te komen, maar toen het gebeurde onder geschiedenis... Vreselijk. Ze had het heet, tegelijk rilde ze – ze dacht dat iedereen in de klas het in de gaten had. Het ergste was nog dat die les over Hendrik de Achtste ging, over al die vrouwen van 'm die alsmaar geen zonen konden krijgen. Thuis had ze niets verteld, maar moeder hóéfde je niets te vertellen, als dochter van een boer. Die wist het al dagen, en meteen wist papa het ook. Papa lachte: 'Nu ben je geen kind meer, Klazien.' Sindsdien had ze niet meer bij hem op schoot gezeten.

Vijftien was ze – nóg hield moeder haar binnen na school, nu vaker dan ooit. Maar liefdadigheid is een zaak van het hart, een zending, liefdadigheid laat zich niet ringeloren. Daarbij, het was haar opgevallen voor de spiegel hoe verleidelijk je ervan werd, van liefdewerk. Want zonder dat moeder het wist, had ze al eens wat overtollige flanelletjes weggegeven aan de armenzorg.

Toen ze zich bij de tuberculose had gemeld, was het huis te klein. Moeder protesteerde schreeuwend, luchtte haar angst voor 'de straat'. Het mocht niet baten, want papa gaf haar gelijk. Papa zei: 'Je doet maar, pappedot. Ouders behoren streng te zijn, maar voor de liefdadigheid moeten ze 'n uitzondering maken. 'n Deugd niet stimuleren zou des duivels zijn.'

Het was al laat, toen ze erop uittrok met de bus. Ze

had over haar schort een boezelaar aangetrokken, een wit kraagje erop, haar zilveren scheepjes ingedaan. Overal was ze de deuren langsgegaan, bij Christiaanse, Wester, bij Stok van assurantiën, en allemaal waren ze verbaasd, en gul, allemaal schonken ze wat. Het klopte helemaal wat ze bij de tuberculose beweerden: dat liefdadigheid een groot goed was; dat zij de mens 'gevoel van grootheid schonk en van verheven voldoening'.

Berend Tiedema was niet thuis, maar ze zag hem bezig achter op het land. Ook bij hem was ze gaan bedelen. Ineens had hij voor haar gestaan, groot, hijgend, zijn stem klonk geknepen. Hij vertelde dat hij aan het mestrijden was en dat hij nog altijd melkvee fokte, net als zijn vader. Want nieuwigheden... Die brachten alleen maar onzekerheid. 'Ik heb niks te klagen, Klazien,' zei hij. 'M'n koeien zijn goed genoeg en goed gezond. Lactatiegemiddelden van boven de honderd, wat neerkomt op 'n levenstotaal aan eiwitten van over de twééduizend kilo.'

Een verkleumde hemel joeg over het land. De zon was verdwenen, haar lach evenzo, ze nam haar kraagje samen. Ineens zou ze gewild hebben dat hij haar vastnam, optilde, op de mond kuste – ze wist niet wat haar overkwam... Toen bukte hij zich, raapte een kluitje op, wreef het fijn in zijn hand en zei: 'Goeie grond moet opgevoed worden, Klazien' – o, wat had ze gebloosd toen, haar hart stroomde over. Plotseling meende ze te weten en hoopte ze en wist ze het eigenlijk wel zeker, dat ze nooit met Menno Christiaanse zou gaan en ook niet met Cobus, het jong van Wester, maar met hém, Berend Tiedema. Dat híj het moest zijn voor wie ze alles in de steek zou laten en alles zou doen wat hij vroeg en al het andere zou opgeven.

Veel had ze niet opgehaald die eerste keer, en dat ze ook nog bij oom Ludo langsging, had weinig geholpen. Die gaf niets, nog geen halve cent, oom had niets overgehad voor de tuberculosen. Maar wel dikke radio's kopen, een kristalontvanger, hij liet hem zien, eentje met een ingebouwde luidspreker en een raamvormige antenne erop, waarmee je 'Holland' kon ontvangen. Maar toen hij hem aanzette, kwam er alleen maar gekraak uit.

''t Onweert in Zwabberdam...'

Hij gaf er een klap op. Toen had er toch nog wat gefiedel geklonken. 'Nou, wat zei ik?' lachte hij, en zette koffie, in een raar koperen steelpannetje boven een bunzenbrander, en schonk in: smerige, zwarte drab in een kopje niet groter dan een eierdop, en had ook nog het lef haar uit te dagen: 'Dat zeg ik tegen je moeder, Klazien. Turkse koffie is héél slecht voor kleine meisjes.'

Ze wist niet hoe vlug ze weg moest komen. Haar koffie liet ze staan. Ze was nijdig op oom dat hij haar wel kon plagen, maar niets gaf. Maar toen ze het papa vertelde, moest die erom lachen. Toen vond ook zij het grappig en was ze blij dat ze tegenover oom Ludo niets had laten merken van ongenoegen. Alles bijeen... Ze kon tevreden zijn. Rustig blijven was een groot goed in de liefdadigheid. En dat het hielp, bleek al de volgende morgen, op weg naar school. Ze zag Berend in zijn land staan. Hij zwaaide driftig. Zij zwaaide terug.

En toen ze een week later weer ten strijde trok met de bus, toen draaide zelfs oom Ludo bij. Ineens schonk hij wél, en niet zuinig. Hij schudde de beurs leeg. Maar dat was misschien, omdat het dit keer niet om tb ging, maar om mond- en klauwzeer bij runderen. 'Dat had je niet gedacht, hè?' zei hij. 'En dat terwijl de Aalander Bode meldt dat de mond- en klauwzeerbestrijding over nog geen halfjaar 'n zaak van Rijkswege wordt!'

20

Ook dat najaar organiseerde de Bond weer een van haar dagen in Kromzicht, een jaarmarkt voor fokkers uit alle windstreken, een 'show' die door de jaren was uitgegroeid tot een feest voor jong en oud. Fokveedagen waren er genoeg. Deze stond zeker niet aan het begin van een traditie. Toch was er maar één Kromzichter fokveedag, en wel in Kromzicht – een evenement dat symbool was geworden voor 'volharding', aangezien na de fatale veepest van de vorige eeuw slechts twaalf procent van de Oldambtster boeren de veeteelt trouw was gebleven, terwijl dat in Kromzicht hónderd procent was, te weten Hensius en Tiedema.

Het was fris maar zonnig, een weertje als het ware door de Here speciaal ten behoeve van dit feest voorbeschikt. Terwijl veecontroleurs hun werk deden en vee controleerden, en keurmeesters voor keurmeester speelden, hapten de kinderen koek en bliezen de meisjes bellen. De jongens wierpen bal en ring, minder naar daartoe bestemde doelen naarmate het later op de middag werd. De meiden hadden vrijaf. Die deden zich tegoed aan anijsmelk en aan stoet met krenten. De mannen dronken brandewijn, zowel boeren als knechten, of anders wel donker bier van over de grens.

Achter het kerkhof werd onder veel belangstelling op kluiten geschoten, met scherp, tegen de zon in. Dat ging bij toerbeurt, in ploegen van vier, zodat altijd wel wat mannen onder het tentdoek hun beurt afwachtten, commentaar leverden, weddenschappen sloten en bierflessen opentrokken, met de flipper die voor hun neus aan een touwtje bengelde in de wind.

De meesten toch bleven in de buurt van de keuringen. Ludo zeker – die stond bij zijn stier, in zijn manchesterbroek en stevige bonker, zijn haar onberispelijk achterovergekamd.

Jawel, hij was geboren, onze Driek, de eerste van zijn geslacht, al een legende lang voor het zover was. Dagen van tevoren had Moes alles in gereedheid liggen, nachtenlang had hij gewaakt, tot het tijd werd Ludo te wekken, om precies te zijn even voor middernacht van eerste op tweede Pinksterdag. Ludo lag in zijn kleren op bed, ze haastten zich naar de stal. Bij het licht van Ludo's elektrische staaflantaarn haalden ze hem, een prachtdier, sterk en toch als fluweel zo zacht, pikzwart zowel van dek- als onderhaar, een mooi kalf. 'En slim,' zei Ludo, 'dat zie ik meteen: slim bloed. Dápper. Dappere organen, 'n stier die zich in alle opzichten kan meten met Dorus IV van de Tiedema's.'

Dat klonk wat opgeschroefd, maar het moest gezegd: enige reden tot voldoening bestond er. Nog vóór de wedstrijdkeuring was Driek door de Bond, alleen al op onderbouw, tot fokstier gepromoveerd en in het Stamboek opgenomen als *Hensianus Dricus I*. Vervolgens was hij glansrijk door de voorselectie heen gekomen. Hij had nu dan ook volop bekijks.

Ludo week geen moment van zijn zijde – begrijpelijk maar niet minder aandoenlijk. Voortdurend bleef hij bedacht op schadelijke invloeden, met al dat vreemde volk om hem heen. Maar wilde iemand wat weten over Driek, dan toonde hij zich inschikkelijk en noemde hem achtereenvolgens een held, een wandelend spermatorium en een stier waarbij vergeleken Lord Hubback, grondlegger van de Shorthorns, een watje was.

Tegen het eind van de middag werd het vlug kouder. Boeren en knechten dromden samen rond het provisorisch platform in de Voorstraat, aangeschoten en opgewonden, hun zondagse pakken onder de modder van het kluiten schieten.

Ook vrouw Christiaanse, echtgenote van de bakker, was er zoals elk jaar weer. Ze gaf de wichten van Sijkes een koekje en nam er zelf ook een. Gedurig klopte ze kruimels van haar boezem, terwijl Do en Klazien zich vergaapten aan de menigte, aan het drukke geloop van de commissieleden met hun lijsten en gumpotloden en aan de man van *De Aalander Bode* met zijn magnesiumlamp, dat griezelige ding dat 'voem!' deed en je verblindde en lang smerige walm boven de hoofden deed hangen.

De heer Kodde kwam naar voren en maakte de winnaar bekend. Ludo's uur was daar. Hij wist het, en straalde, en moest meteen op de foto. Voem! En nog een keer, nu met zijn knecht die de zilveren beker ophield. En natuurlijk eentje van het prijsdier zelf, Driek de Eerste, het reuzenlijf omknoopt met een witzijden lint, winnaar van de A-klasse in alle categorieën, de sterkste, dapperste en geilste stier van het Oldambt.

Het kon niet uitblijven: Ludo werd gevraagd om een woord. Het ging hem vlot af: 'Goedemiddag samen. Blij verrast dat u allen de moeite hebt genomen uit uw luie stoel te komen, waar u ongetwijfeld Drieks spannende stamboom zat te bestuderen. Hij heeft lang op zich laten wachten. Vier rusteloze jaren. Vier jaar sappelden ik en mijn knecht, niet met zijn status, maar met de proclamatie ervan. Dit gezegd zijnde lijkt mij een woord van dank namens de bolleboos gepast. Hij oogt wat lui en dom, maar pas op, hij is slim, wat interieur betreft...' En ja, nu Ludo dat zo zei... Even meende Moes in de bodemloze blik van het dier iets van fierheid, van kinderlijke trots te zien oplichten.

's Avonds werd er bij een borrel nog een laatste koop beklonken in het achterzaaltje van Het Kromdiep. Het zag er blauw van de walm, één wazige wrong van boerenkielen en duffelse jassen, doorschoten met vonken van brandende lucifers en glaasjes apfelkorn. Veehouders uit Aaland waren er, uit Bleek, Drijwold, uit Oldenpolder niet te vergeten, waar Drieks voorouders het levenslicht zagen. Al dat volk zat met verhitte oogopslagen en hikkend gelach elkaars vee af te kraken, ofwel het eigene op te hemelen. Ook fokkers uit Noordeinderbroek waren present, en die uit Domhold, het dorp waar in 1748 de grote hervormer en volksprediker Schortinghuis nog onder de dwang des vlezes was bezweken en met een boerendochter de kooi deelde – het begin van een tijdperk van de strengste tucht op leer en leven, maar ook van standenverstrengeling tussen boer en predikant, een tendens die sindsdien alleen maar aan belang won.

Deit ontbrak. Ze had nooit veel opgehad met adellijk vee. Haar dochters waren bij de winnaar aan het tafeltje beland, onder de hoede van vrouw Christiaanse. Het waren stevige wichten geworden, Do en Klazien Sijkes, de een niet minder dan de ander, ware proeven van bekwaamheid der natuur. Eigenlijk vond vrouw Christiaanse Het Kromdiep ook helemaal geen plek voor jonge meisjes op dit moment, met al die boerenzonen hier. Do had er toch zichtbaar plezier in. De boerenzonen ook, ze schonken haar niet mis te verstane blikken – het ontging vrouw Christiaanse niet. Haar Menno zou moeten opschieten, wilde hij nog kans maken.

De zilveren beker – men zou hem bijna vergeten bij alle commotie. Moes had hem midden op tafel gezet. Daar stond hij te blinken, bewonderende blikken te weerkaatsen, maar het was of Ludo hem niet zag, niet wílde zien, als gold het een schadelijk bijverschijnsel, een noodzakelijk kwaad. Hij leek zich te vervelen, Ludo. Ineengedoken zat hij erbij, klaar om felicitaties te ontwijken – alsof hij in plaats van gewonnen een gevoelige nederlaag had geleden. Al zijn dromen waren in rook opgegaan, zo leek het, hij kon weer van voren af aan beginnen, net als Napoleon. Het was of hij al op iets nieuws zinde, iets dat grotere bevrediging verschafte dan deze vluchtige zege.

'Aha, daar zit-ie, de roem van 't Oldambt!' klonk het op enige afstand. Met de onverwoestbare lach op zijn wangen wrong burgemeester Dröve zich door de menigte, zijn arm al geheven voor het handen schudden. 'Felicitaties, Ludo!' en hij draaide zich om en wenkte wethouder Sijkes en dokter Vinkenhuis, die glimlachend achter hem aan kwamen.

En wie hadden we daar? Wie wist in hun kielzog eveneens de tafel te bereiken? Het kon niet waar zijn! Berend Tiedema, recht onder de koe vandaan. Ook hij bracht gelukwensen.

'Best dier, Ludo.'

Dat was heel wat voor Berend. Sportief. Hij bood zelfs een rondje aan, toen Do om ranja zeurde.

Do had het intussen zwaar te stellen met burgemeester. Die werd altijd twintig jaar jonger, als de wichten van Sijkes erbij waren. En maar doorvragen over haar schoolrapport en wat ze wilde worden later. Hij leunde op zijn elleboog naar haar over, plaagde haar met de jongens en lachte zijn tanden bloot. Hij bond pas in, toen ze hem toefluisterde: 'Mag ik u 'n intieme vraag stellen, meneer Dröve? Zijn dat uw eigen tanden?'

Klazien ontging dit alles, ze leek elders met haar gedachten. Weliswaar had ze de eerste bloeding gehad, maar ze was nog helemaal vrouw-in-wording. Dat ze hier zat tussen al dat jonge volk – het leek haar voornamelijk te plezieren om haar vader, vanwege het feit dat Sijkes zijn dochters mee uit kon nemen waarheen hij maar wilde. Thuis lukte het hem slecht leiding te geven, zei men. Dat lag aan moeder, die eenvoudig geen leiding uit handen gaf. Maar hier? Hier was hij iemand, hier genoot hij gezag. Hij smoesde met burgemeester. Het werd een rondje op rekening van de gemeenschap.

Het begon benauwd te worden in het zaaltje, het eind was amper te zien. Voor elke boer die wegging, leken er drie binnen te komen. 'Bravo, Ludo, we hebben 'm,' lachte burgemeester, trots de beker bekloppend. 'Kromzicht valt in de prijzen.'

'Wat moet je ermee?' mompelde Ludo.

'Zo is 't maar net,' zei Berend. 'Wat moet 'n boer met stieren, als er zelfs met mélk geen droog brood valt te verdienen?'

'Hoe laat leven we, Sijkes?' vroeg burgemeester, en hij stond op en nodigde hem en dokter uit tot wat de pot schafte, vóór in het restaurant. Dokter knikte. Sijkes moest helaas bedanken. Voor hem stonden thuis de piepers op tafel.

Toen Sijkes kort daarop eveneens vertrok, gevolgd door zijn wichten, werd het ook voor Berend zoetjes aan tijd. Toch besloot hij nog even te blijven, nu hij er eenmaal was. Zo lang mogelijk wilde hij die schichtige blik vasthouden waarmee Klazien hem over haar schouder had aangezien.

'Wa 'n volk!' flapte Moes eruit. Niets voor hem. De prijs steeg hem duidelijk naar het hoofd. Of de apfelkorn.

Ludo keek lui opzij, bestraffend haast. 'Noem je dat "volk"? Oldambtsters noem ik dat.'

'Alsof Oldambtsters géén mensen zijn,' zei Berend gevat.

'Nee, Oldambtsters zijn geen mensen. Oldambtsters zijn kneusjes. Geboren kankeraars.'

'Wie kankert er hier? Neem me niet kwalijk.'

'B-klassers zijn 't. Bekrompen, traag van geest, snel beledigd... 'n Volslagen door willekeur versukkeld type.'

'Bent niet zunig met compelmenten, Ludo,' lachte Moes.

''n Oldambtster denkt fatalistisch, idem fokt hij,' zei Ludo.

'Je doet net of ze allemáál fokken,' gaf Berend terug. 'Kom kom. Zowat heel 't Oldambt is landbouwer.'

'Landbouwer?! Zij? Godbeware! Bekijk ze 'ns goed, die lui van Domhold, en je weet hoe de Dollard is ontstaan. Ze hebben de boel gewoon onder laten lopen. Geen stad die de trots van de Oldambtster kan breken, zongen we op school. Maar wel eerst 'n eeuw lang trammelant over wie de dijk gaat betalen. Liever dát dan de mouwen opgerold en de schop in de grond.'

Berend zweeg armzalig. Wat deed hij hier ook, als man die op zijn rust was gesteld? Hij had Ludo graag getoond hoe vlug een Oldambtster zijn mouwen kon oprollen, maar het ging niet, wilde niet, kwam niet – zelfs de moed om zijn sigaar neer te leggen en te gaan ontbrak hem. Hij bleef maar plakken. Hij had allang thuis in zijn stoel kunnen zitten, om daar maar één ding te doen: denken aan het licht dat in zijn leven was gekomen.

Ludo was opgestaan. 'Kom, knecht, hoogste tijd voor Driek. En dat blikken ding daar, nou ja, doe ermee wat je wilt.'

Met de beker onder zijn arm volgde Moes hem.

21

Wat had Do toch opeens? Ze deed zo druk, keek steeds op van haar stopmand. Na het eten ging Klazien terug aan haar huiswerk boven. Meteen kwam Do haar achterna, duwde haar de slaapkamer in, trok een envelop uit haar blouse...

Vertrouwelijk, stond erop, verder niets, geen adres, geen zegel. Maar Klazien wist genoeg. In een mum van tijd wist Kromzicht het ook. De zondag daarop zag men haar door de Voorstraat lopen, arm in arm, niet met zus Do, maar met boer Tiedema.

's Middags zagen ze Berend bij Sijkes binnengaan, voor bespreking zeker. Menigeen schudde het hoofd. Maar toen het avondeten was gedaan en de vrouwen nog wat op straat stonden met elkaar, vrouw Christiaanse, vrouw Wester, het mens van Lodder, toen vonden ze dat Klazien het nog lang zo gek niet had beken met Berend, de rijkste boer van het dorp. En ook de mannen durfden het wel te zeggen, onder elkaar bij het kerkhof: 'Wa 'n wicht, die van Sijkes. En nog geen zestien!'

Die zondagmiddag, toen ze met Berend langs het Achterlangs liep, de koeienwei daar... Het was koud en klam – het zou voor haar de zonnigste dag van haar leven worden. Haar arm lag losjes in die van Berend – zo heerlijk was dat. Ze had haar rijglaarsjes aangetrokken, haar korenbloemblauwe blouson, nauw sluitend aan de hals, daarover een donkerbruine pelerine.

Ginds zagen ze het jongvee lopen. Berend stak twee vingers in zijn mond en floot. Als geiten kwamen ze aanhuppelen. Maar toen hij zijn hand naar hen uitstak, werden ze voorzichtiger, besnuffelden die hand en lebberden eraan.

Berend z'n rooie kop was kortgeknipt. Tjonge, wat zag hij er netjes uit, Klazien had hem nog nooit zo gezien. Lakens pak, gekeperd vest, een boord die glansde van het aardappelstijfsel... Alleen zijn klompen had hij beter thuis kunnen laten. Zomaar ineens was hij in haar leven gekomen, ze kon het haast niet geloven. Ze zouden het goed hebben samen, wist ze, en hun kinderen straks misschien nog wel beter.

Over het prikkeldraad heen stak een jong stiertje haar zijn snuit toe, speelde met een knoop van haar blouse, probeerde die met zijn lippen te grijpen – joelend sprong ze terug.

'Stout beest!'

Het dier schrok, de andere ook, ze draaiden wat en slenterden toen weer weg, terwijl Berend ze nakeek, glimmend, als zag hij geen koeien, maar het geluk zelve dat hem toelachte.

Toen vertelde hij haar zo'n beetje van het leven op de boerderij, van het vele, maar dankbare werk daar. Maar ook van jammer en ellende, ook van het leed dat zijn vader had moeten lijden, de strijd die hij had gestreden voor een veestapel van zo'n hoge klassering. 'Mijn vader...' zei hij. 'Als je 'ns wist wat díé heeft meegemaakt aan tegenslag! Ikzelf trouwens ook. Niemand wordt gespaard in ons vak. Navelbreuken, maanblindheid, slechte ontwikkeling van oogbollen of helemaal geen... Eenmaal zelfs gladde tong – dat is wel 't ergste wat je kunt hebben. Alleen 't puntje heeft papillen. Kwijlen dat die beesten doen! Bérgen schuim hopen zich op rond hun poten...'

Toen hield hij op en was het stil. Lang stil – miserabel voelde ze zich. Berend had iets schichtigs in de blik. Nu gaat-ie me vastnemen, dacht ze, nu gaat-ie aan m'n blouse voelen.

Maar Berend nam alleen maar haar hand en formuleerde beverig: 'Wil je m'n vrouw worden, Klazien?'

Ze gaf geen antwoord, keek naar de punten van haar laarsjes, vandaar naar de koeien die verderop weer langs de afrastering sjokten. Zoals ze daar van de grond stonden te eten... Wat 'n treurnis! Zo had ze ze nog nooit gezien. Ineens moest ze aan de zieken en misdeelden denken en kreeg ze het te kwaad.

'Zielige beesten,' zei ze. 'Koeien zijn edele, maar ook vernederde dieren, Berend', en ze trok haar hand los en holde weg, het paadje naar de Voorstraat op.

Het was aan met Berend, niet te geloven, ze gíng met hem, ze gingen trouwen. Ze had nog wel geen ja gezegd, maar ze wilde het, dat in elk geval. Het ging alleen zo vlug allemaal.

Of het liefde was, wist ze niet, ze dacht van wel. Maar

toen ze na het eten ineens heel erg van papa hield, wist ze het weer niet zo zeker. En ook de dagen daarna, toen ze langer dan anders met Wapko speelde, met meer geduld, maar op grotere afstand, alsof het de laatste keer was... Ineens zag ze toen even heel duidelijk voor zich, wat je moest opgeven voor een man.

Ze ging trouwen, het zat erin. Dat vond Do ook. Die was duidelijk teleurgesteld en kon toch ook blij zijn voor een ander... Ooit had ze Berend 'zó'n vent' genoemd en dat Klazien dat aan niemand mocht vertellen, en nu zei ze: 'Geen getreuzel, Klazien, je kunt niet eeuwig ja denken en het niet zeggen.'

En moeder? Die had er nooit een geheim van gemaakt wat ze van Berend vond. Moeder had haar zin gekregen, maar aan haar humeur was dat niet te merken, ze leek chagrijniger dan ooit. Of misschien waren het alleen maar zenuwen, alsof deze meevaller haar op het laatste moment nog kon ontglippen.

''t Valt op,' zei Do. ''n Minuut te laat thuis uit school, of ze wil al weten waar we geweest zijn.'

Erger was dat moeder in huis hun gangen naging, hun kamers doorzocht – althans, altijd waren daar aanwijzingen voor, een bijouxdoos die ineens scheef stond op Do's commode, een la te diep naar binnen geschoven bij Klazien. En altijd zeuren, niets was goed wat je deed, Klazien werd er tureluurs van. Als ze moeder zo hoorde, zou ze het liefst zorgen zo snel mogelijk weg te komen thuis, hoe sneu het ook was voor papa.

Nee, bedacht ze ineens, als ze met Berend trouwde, zou het misschien toch niet enkel om 'de grote liefde' zijn. Ook vanwege mama die ongenietbaar was. Deed het er nog toe?

22

Op een avond ging ze de straat op, om Berend de fles lauwe thee te brengen die ze hem beloofd had, aangezien hij nog laat bezig zou zijn op het land – het moest af, er zat regen in de lucht.

In de Voorstraat zag ze Moes aankomen en dook vlug links het pad naar het Kromdiep op.

Ze had het altijd goed kunnen vinden met oom Ludo's knecht, had vaak genoeg met hem staan praten op straat, onlangs nog voor de winkel van Christiaanse – ze had er zich nooit wat van aangetrokken wat moeder zei: dat zoiets geen pas gaf voor meisjes-alleen. Een bijzonder mens vond ze hem. Geen school gehad, maar hij zag alles – een bescheiden en verstandig iemand die niets voor zichzelf verlangde en toch zijn eigen gang ging. Ja, ook híj zou haar wel, zonder dat ze het zelf besefte, tot het hogere hebben gebracht. En nu ontweek ze hem...

Ze ging het diep langs in de schemering, stond op de kop van de akker, turend in het mistige land, hoorde Berend ver weg vloeken tegen zijn paarden, maar zag hem niet.

'Berend!' riep ze.

Hij antwoordde niet.

'Je thee!'

Ze wachtte, luisterde. Zo stil was het, ze hoorde niets meer, niets dan de ruis van een radio, voelde een zachte sfeer om zich heen, verwachting van handen die om haar schouders kwamen, en hoe ze werd vastgenomen en op de lippen gekust...

Ineens stond Berend daar, als uit het niets. Een bitse kou sloeg om haar heen, toen ze hem de fles gaf. Berend pakte hem aan en nam een teug, en vertelde van het doodgeboren kalf die morgen, en hoe dat voelde in de portemonnee.

Haar ogen schoten vol. Zomaar ineens kreeg ze met hem te doen, zoals met de zieken en misbedeelden, gaf een kneepje in zijn arm: 'Sterkte ermee', en zat weer thuis bij moeder.

Kromzicht, een rustig dorp. Vredig. Een dorp waar de gekste dingen konden gebeuren zonder dat er een haan naar kraaide, onverklaarbare dingen, díe dingen wellicht waarvan meester Den Hollander zei dat je er de vrede mee kon verdienen als je er je best voor deed. En niet het geringste van die vreemde en onverklaarbare dingen was het dubbelgevouwen schriftblaadje dat Berend Tiedema die week in zijn brievenbus vond.

Ik maak het uit. Excuus. Klazien.

Zijn wenkbrauwen rezen, bleven even in die stand en zakten toen naar een historisch dieptepunt.

Het werd snel bekend. Een schok voer door het dorp, een dagenlang aanhoudende golf van vermoedens en gissingen.

Wat Berend betreft... Hij voelde zich verraden, te kijk gezet. Het bericht raakte hem diep, het sloeg een wond in ongekend zeer. Eerst zijn moeder weg, nu zíj. Hij nam zich voor nog lang, heel lang kwaad te blijven op dat wicht van Sijkes.

Ze collecteerde voor het weeshuis. Dus kon het niet enkel liefdadigheid zijn geweest wat haar ertoe gebracht had bij oom Ludo langs te gaan, wetende dat hij nooit iets gaf, tenzij het om ziek vee ging. Alleen vee kon hem vermurwen, als het hulp behoefde. Ze had gewaarschuwd moeten zijn, maar haar tot daad gerijpte naastenliefde bracht haar soms tot dingen waarvan ze zelf versteld stond. Ze had bij oom aangebeld.

In de keuken had hij haar warme cacao gegeven en keek haar aan terwijl ze dronk, altijd zó dat je niet wist wat erachter stak.

'Ik kom voor 't weeshuis,' drong ze aan.

Hij grinnikte even, en gaf niets. Een rukje aan haar vlecht toen ze wegwilde, daar kon ze het mee doen. Maar eerst moest ze nog mee naar de opkamer, waar hij begon op te scheppen over zijn verzameling antieke musketten en pistolen.

'Hier,' zei hij, vlot het rijtje langsgaand, ''n Waadtländer, 'n Derringer... Enfield... En dit hier, dat is m'n lievelingsstuk, 'n Carl Gustav.' En hij tilde het wapen uit het rek en reikte het haar aan. Met twee armen nam ze het over, ze kon het amper houden, het woog misschien wel tien kilo.

'Götenborg, begin vorige eeuw,' zei hij. 'Meesterwerk van precisie', en hij nam het wapen weer van haar aan, knipte het open en keek met een scheel oog door de loop.

'Ik moet gaan, oom.'

'Ach ja? Nou, dan laat ik je uit', en hij zette het geweer terug in het rek en liet haar voorgaan. Maar natuurlijk moest hij weer fratsen hebben bij de voordeur. 'Je hebt kringen onder de ogen, Klazien, zie ik dat goed? Kringen maken meisjes interessant.'

'Toe zeg, oom.' Ze schaamde zich dood, want juist zag ze Moes achter in de gang zijn pet aan de kapstok hangen.

'Ik ben benieuwd hoeveel je ophaalt,' lachte oom. 'Nog geen gulden bij mekaar, wedden? Als 't méér is, doe ik er twee bij. Kom maar langs straks, dan tellen we de buit.'

Terug op straat was ze nijdig op oom, vanwege die kringen, nijdiger nog op zichzelf dat ze beloofd had terug te komen. Wat je allemaal niet moest overhebben voor het liefdewerk! Tegelijk merkte ze dat ze met meer flair aanbelde bij Wester, Wildvang, Freriks van Het Kromdiep. Wedden voor het goede doel gaf moed, gaf motivatie, het maakte je tong losser, deed je extra pleiten voor het lot van het verwaarloosde kind.

Thuis wilde ze ook aanbellen, voor de lol, maar ze zag ervan af. Stel dat moeder opendeed, in deze toestand. Alsof hulp aan weeskinderen iets was om vrolijk van te worden!

Oom Ludo... Wat moest je met zo iemand? Al zolang ze hem kende, was hij zo. Ach, ze begreep het ook wel zo'n beetje, die kuren van hem. Ze hoorde genoeg links en rechts, van mama, van Moes. Die had haar verteld, toen, voor de deur van Christiaanse: oom Ludo kon maar moeilijk zijn draai vinden na de prijs van de Bond. De hele dag zat hij aan de knop van zijn radio te draaien. Aan tafel was hij ongedurig. Nu eens bedillerig, op het tirannieke af, en meteen bood hij zijn excuses aan. 'Ik heb je in m'n val meegesleurd, knecht,' zou hij gezegd hebben of iets in die trant. En aldoor scheen hij op nieuwe plannen te broeden. Als je Moes mocht geloven, zag oom Ludo zijn leven als één lange aanloop – naar wat wist hij niet. Hij zou willen uitbreken, vreemde landen bezoeken, prijzen winnen bij de harddraverij, de wereldtentoonstelling gaan zien... Maar als puntje bij paaltje kwam bleef hij thuis, want ach, hij was toch ook maar gewoon een veeboer, net als Berend Tiedema? Terug van Parijs of Londen zou hij zich weer moeten verzoenen met zijn bestaan. Nu weer zou oom Ludo serieus overwegen om met Driek op stap te gaan, hem in te schepen naar Amerika, hem dáár te proclameren en een fortuin te vergaren. Kwam Amerika niet naar hem, dan ging Driek dáárheen, zo simpel lag dat. Maar het eind van het liedje was geweest dat hij om de beddenkruik belde en zei: 'Ach wat, ik heb te veel boeken gelezen.'

Ook Tiedemaborg sloeg ze dit keer over, hoewel ze wist dat Berend gul kon zijn, ja, zelf een weeskind was. Maar ook Berend zou misschien vragen wat er zo grappig was aan collecteren. Ze belde maar liever niet bij hem aan, het was ook niet nodig, de bus woog al behoorlijk. Ze had genoeg, meende ze.

Liever dan weer door de Voorstraat ging ze achterlangs, liep bij oom Ludo het plaatsje op en trok aan de
bel.

Oom deed open, ging haar voor, slungelig. 'Nou, 'ns
even kijken,' zei hij, overdreven in zijn handen wrijvend.

In de woonkamer schudde hij de bus leeg op het pluche tafelkleed en begon te tellen en te schuiven, stuivers bij stuivers, centen bij centen, halve en hele, terwijl zij wippend op haar stoel in de gaten hield of hij
niet smokkelde. Oom had altijd wel een goocheltruc
paraat, als hij ging verliezen.

'Vijfennegentig, zesennegentig... Roekoekoe...!'

'Er is méér!' riep ze wild. 'Weg die hand!'

'Zevenennegentig, achtennegentig, négen... Ik kap
ermee.'

'Dóór!' kirde ze.

'Dat gaat me 'n kapitaal kosten,' kreunde hij.

'Twee gulden maar!'

'Hoe heb je dát voor mekaar gebokst, Klazien?'

'De liefdadigheid, oom, de liefdadigheid lééft, of 't nu
voor mensen is of voor dieren, en zij geeft zalige voldoening!'

'Kijk kijk. Nou, daar drinken we 'n citroentje op,' zei
hij verrast, en ging het trapje naar de opkamer op.
Maar in plaats van met een fles kwam hij terug met
een koektrommel, waar poppetjes van marsepein in
zaten, witte sneeuwmannen en roze spookjes. De
sneeuwmannen vond ze het leukst, toch nam ze een

spook. Ze beet er niet in, maar likte eraan en hield hem vast, een en al oog voor oom, die zijn radio had aangezet en met zijn oor tegen het kastje een zender zocht. Tussen golven van ruis werd vaag getrompetter hoorbaar, opzwepend pianogepingel, erg vals.

'Ragtime,' zei oom. 'Vermoedelijk King Oliver.'

Neergevlijd op de ottomane zat hij raar mee te bewegen vanuit schouders en heupen. Toen strekte hij één been op de zitting, schurkte zijn rug tegen de leuning, beklopte het plekje naast zich en zei: 'Zet hier je bipsje 'ns neer, Klazien.'

Ze ging al, haar spook ging mee en ze zat op het plekje, ineens schuw, zo dicht bij hem. Ze likte maar weer eens.

'Lekker?' vroeg hij. 'Pas maar op, kinderen mogen niet snoepen. Daar komen alleen maar plombeersels van...'

'Ik ben geen kind meer,' protesteerde ze, 'ben bijna zestien', en werd vuurrood. Want toen papa dat tegen haar zei, dat ze geen kind meer was, had het heel iets anders betekend.

'Zozo, geen kind meer,' zei oom. 'Laat me je knoopjes dan 'ns tellen.' Ze schrok terug, maar protesteerde niet, toen hij eraan peuterde, ze een voor een begon los te maken, aandachtig, met rustige handen, alsof het de gewoonste zaak van de wereld was.

'Vijftien... Zestien... Je hebt wéér gewonnen!'

Neerkijkend zag ze hoe hij ook haar lijfgoed losknoopte. Met de kin op de borst keek ze ernaar, alleen maar dát, een beetje sip, een beetje beteuterd maar, stil hopend dat oom bij het laatste knoopje zou roepen: Stop! Ik kap ermee...

'Mm, wat hebben we hier?' zei hij.

Ze giechelde even, pruilde, wilde haar blouse dichtslaan, maar bleef dom stilzitten onder oom Ludo's grote handen die warm en soepel waren aan haar hals, toen ze het flanel wegstreelden, zich tot kommen vouwden onder haar borstjes, ze opduwden, kalm en zo intens toch, zo onmogelijk, als was het warm water dat hij probeerde vast te houden met zijn vingers.

Toen drukte hij haar neer. 'Auw, m'n knie,' kreunde ze.

'Trek maar op, Klazien, één been hier.'

Haar rok gleed af, ze greep de stof vast.

'Onzin,' hoorde ze hem zeggen dicht bij haar oor, voelde hoe hij haar dij streelde aan de binnenkant, zachtjes, zo zacht dat het pijn deed en zij het uitsnikte, 'nee' snikte, 'nee niet, oom', wetend dat het zinloos was. Want dat ze al veel te ver gegaan was met wat – hoe dan ook – allang bezig was te gebeuren.

'Traantjes?' richtte hij zich op. 'Kom, droog ze af,' en hij droogde ze met zijn mouw, bracht zijn volle gewicht naar voren, drukte haar achterover op de zitting, haar sussend met woorden, een stem die gloeiend klonk in haar oor: 'Schaam je maar niet. We zijn allemaal familie. Jij, Do, je moeder, oom Engelbert en ik, één grote, vrome gemeenschap vormen we...'

Zijn ogen waren donker boven haar, een glans die haar opslokte, meesleurde, toen hij haar broekje uit frunnikte, vreemd en onhandig bewoog en haar heet maakte met zijn hand, alsof ze er niets over te zeggen had. Ze snapte het niet, huilde nog, stribbelde nog tegen met woorden, terwijl haar lichaam hem omhelsde, hem smeekte, hem ter wille was. Rustig wikkelde oom Ludo af waar het hem om begonnen scheen, sloom bijna, quasidronken, hooguit op het eind een beetje wilder.

Hij lag nog half op haar, stil op het heftig deinen van zijn borst na. Zij lag onder hem, opzij kijkend naar de knop van de radio. Toen drong dat golven weer tot haar door, van ruis en ver gepingel, en luisterde ook zij even naar King Oliver.

Nog kon ze niet bevatten wat er gebeurd was. Als het een ander was overkomen en die had het haar verteld, zou ze het niet geloofd hebben – tegelijk was het zo echt als wat, zo goed, zo goed, het zou nooit voorbij mogen gaan. Ze wist nog hoe ze schrijlings op zijn schoot zat, haar borstjes vormloos tegen zijn ruwharig vest gedrukt, en dat ze 'stoute oom' zei, lachend door haar tranen, en zijn wenkbrauw kuste. Voortdurend zag ze het voor zich: hoe hij zijn arm strekte en de radio uitzette en zei: 'Kom, kleed je aan, Klazien, m'n koeien roepen.' En dat ze had willen zeggen: 'Twee gulden, oom', maar op tijd het verband met heel andere liefde zag, en dat dat hier niet van toepassing was. Dat ze haar spook opraapte, er een stuk af beet en haar kleren begon te schikken, terwijl oom Ludo hetzelfde deed bij het bureau. Hoe hij iets onder de presse-papier vandaan trok en zei: 'Hier, aanpakken' – een brievenmap, met geborduurde zijde van voren – en vroeg: 'Krijg ik nou 'n *billet-doux* van je?'

Wist zij veel wat dat was, een biejèdoe. Ze kreeg ook geen kans het te vragen, hij trok haar al mee de gang op. Als een wervelwind sleepte hij haar achter zich aan, wierp in de stal de hendels van een box, zette het hek open, van twee koeien die laat gekalfd hadden, 'hup, d'r uit jullie!' en dreef ze de stal uit met hun jong, het erf op, zij beiden erachter aan.

Samen hadden ze daar over het wagenpad gehold, zij en oom Ludo, achter het gedempte roffelen van de dieren aan, alleen zij tweeën, met dolle sprongen, alsof er geen Kromzicht bestond. Vijftien was ze, ze zou nooit ouder worden. Alsof ze haar onschuld niet verloren, maar voltooid had met oom. Ze was gek op hem, voelde zich vrij, zo gelukkig. Zoals hij haar achterna zat op dat pad, lachend, joelend: 'Dit wordt 'n zoon, Klazien, 'n zoon, let maar op! Twáálf grondslagen!'

23

Het werd snel kouder. Vóór de eerste nachtvorst zag het land zwart en lagen de erwten op zolder. Toen de winter eenmaal flink doorzette, veranderde het leven plotseling.

Iets was er gebeurd – wat, wist men niet precies. Van veel werden de mensen onwetend gehouden, ze konden alleen maar gissen. En de weinigen die er wel weet van hadden, zoals Freriks of meester Den Hollander, van hen kon niemand met zekerheid zeggen dat ze het wisten. Burgemeester wist het in elk geval wel, evenals Sijkes. Maar die hulden zich in beroepsmatig zwijgen, zoals het hoort.

's Avonds bij Lodder werd er verteld dat Berend Tiedema zich zorgen maakte. Iemand had een ander horen zeggen dat Tiedema op het gemeentehuis was gezien. 'Hij loopt de deur plat op Aaland,' zei men.

Freriks zou zich later ernstig moeten verantwoorden bij burgemeester. Hij praatte zijn mond voorbij en bracht daarmee naar buiten dat hij, Dröve, in het restaurant informeel beraad had gehouden met Sijkes. Hensius en Tiedema waren er ook.

Zoveel werd duidelijk: dat het vee van Hensius een virus had. Zijn stieren schenen steeg te zijn, zijn koeien druk en schouw, aldus Freriks. Berend Tiedema was uit zijn slof geschoten. Hij had gezegd voor eigen vee te vrezen, had consult geëist in Stad, door de veeartsen van Rijks Serum-Inrichting aldaar.

Ludo had zich verzet. 'Je ziet spoken,' zou hij gezegd hebben. 'Mijn dieren zijn gezond tot in 't merg. Geef ze de tijd. Ze barsten van de antilichamen', een kloekheid van geest die bij burgemeester vertrouwen had gewekt.

Meester Den Hollander was erbij komen zitten, want Berend werd gevaarlijk en dreigde met processen.

'Arbitrage?' zei Dröve. 'Kan lang duren, Tiedema. Daar gaan we niet op zitten wachten. Daarbij, 't kost vermogens.'

'Pleit voor 'n koe en je geeft er twee op toe,' vulde Sijkes aan, die altijd al van grote paraatheid blijk had gegeven waar het oude spreuken en volkswijsheden betrof.

'Godhere! M'n vee!' riep Berend. 'Doe wat!'

'We doen ons best, Tiedema,' zei Sijkes. 'Pech hebben we allemaal. Wie konijnen houdt, heeft ook de keutels.'

'Maar dóé dan wat!' zei Berend met overslaande stem. 'Graaf 'n kuil, werp 'n bult op, sla 'n dam! Of bel tenminste de seruminrichting! Vraag immuniteit aan om ze af te knallen!' – men werd er nerveus van zoals hij plotseling de gave van het woord kreeg en met de vuist op tafel timmerde.

'Virussen reizen snel, Tiedema,' zei Dröve koeltjes,

'maar 't is ons, bestuurderen, heus wel gegeven ze bij te houden.'

'Bel Stad,' riep Berend. 'Anders doe ik 't zelf!'

'Kalmpjes, Berend,' zei meester Den Hollander met een aimabele hand op diens arm, 'rustig nou. Herhalingen zijn goed, maar men moet ermee stoppen zodra het 'n maniertje wordt. Dat geldt trouwens voor alle stijlfiguren.'

Burgemeester keek op zijn vingers, stond op, knoopte met opgetrokken schouders zijn jas dicht... De kous was af, wist men. Hij had beslissingen te nemen, als laatstverantwoordelijke.

'We zien 't toch liever nog wat aan, Tiedema.'

Geen verbetering trad op die nacht, ook de hele verdere week niet. Hensius' koeien leken zelfs nog stuurser. Ze beten hun kribben aan, verjoegen vliegen met hun staart, vliegen die er niet waren en toch steeds venijniger terugkwamen.

Toen *De Aalander Bode* er lucht van kreeg en er een artikel aan wijdde, meende Sijkes: 'Tijd voor actie, burgemeester.'

Toen moest ook Dröve inzien: 'Misschien toch maar ja, voor de goede vrede' en hij liet Sijkes per omgaande contact opnemen met Rijks Serum-Inrichting, afdeling Groningen.

De volgende morgen om kwart over zeven waren ze er, de veeartsen, meteen al in grote consternatie. Want jammer nu: te laat. Met één blik stelden ze vast dat het euvel ook de andere kant van het dorp had bereikt. De

Kromzichters wisten dat allang, al uren. Niet alleen bij Hensius hadden ze de godganselijke nacht horen loeien, ook dáár, in de stallen van Tiedema.

Het medisch personeel kreeg het zwaar te verstouwen met dit ongedurige vee. Bedacht op een hak of stoot kostte het hen twee volle dagen om de injectoren aan te leggen, sera toe te dienen, dubbele doses maar meteen, een cocktail tegen koliek, maanziekte, stille kolder en hondsdolheid.

Het resultaat was pover. Een dag later heette het zelfs 'bedroevend'. De dag daarop: 'teleurstellend'. De heer Stroep, dierheelkundig inspecteur en intendant, noemde het effect op het laatst zelfs 'vrijwel nihil'. Met grotere stuursheid leek het vee te reageren op het medisch amalgaam, zowel de adel van Hensius als het grauw in Berends stallen – geen van alle moesten ze er wat van hebben. De koeien kuchten met open muil en draaiden met hun ogen dat het oogwit vrijkwam, en de stieren zogen lucht naar ieder die zich maar in hun buurt waagde.

Geen van de deskundigen wist zich raad. De meesten verbaasden zich in stilte, stonden met de handen in het haar, letterlijk, niet in staat op andere wijze uiting te geven aan hun verwarring. Anderen waren nog wel bij machte iets uit te brengen, maar vielen in herhalingen, vonden het resultaat van de medicatie enerzijds 'pover', anderzijds 'bedroevend', doch in laatste instantie 'vrijwel te verwaarlozen'. Ieder trok zich het lot van het vee aan en vroeg zich af of het nog wel te redden was. Afmaken – dat woord spookte rond. Behalve

Tiedema durfde vooralsnog niemand het openlijk in de mond te nemen.

Vijf dagen verstreken, voor inspecteur Stroep het verlossende woord sprak. 'Welnu, heren, ik ben bang dat er onder de omstandigheden niets anders opzit dan te doen wat we zo lang mogelijk uitgesteld hebben, daar het ons ten diepste vervult met afgrijzen, maar dat nu onafwendbaar lijkt geworden: de Faculteit der Veeartsenijkunde te Utrecht bellen.'

Berend raakte buiten zichzelf van woede. 'Uitstel?! Opnieuw? Terwijl de ziekte voortwoekert?!' Hij kon door eigen personeel maar met moeite tot bedaren gebracht worden.

24

Het duurde even, voor het tot de veeartsenijkundigen van Utrecht doordrong wat er gaande was in het noorden. Maar toen het zover was, baarden ze daar groot opzien met hun zwarte, enigszins morbide, tot laboratorium omgebouwde Daimler-Benz en hun aluminium valiezen vol instrumenten.

Ze hadden veel ervaring en hadden lang op hun vak geleerd, dat zag je zo en het moet gezegd: het maakte indruk. Van de jeugd op straat oogstten ze een spontaan applausje. Maar toen ze bij Tiedema de stal in kwamen... Grote god! Het leek hen raadzaam terstond bloed-, speeksel- en fecaliënmonsters te nemen en weer af te reizen naar Utrecht.

Terwijl daar de monsters tegen het licht werden gehouden, met wetenschappelijke precisie werden ontleed, gefotografeerd, microscopisch gediagnostiseerd op pokken, mastitis, boutvuur en streptococcen; terwijl dienaangaande gegevens werden genoteerd, gegevens uitgewisseld en doorgerapporteerd, brieven aangeheven onder de kop 'geheim' en 'vertrouwelijk', brieven ondertekend met 'in blijde afwachting' en 'als immer de uwe', brak de hel los in het Oldambt. Het vee was eenvoudigweg niet meer te houden, zelfs voor een veehouder niet.

Op een nacht braken er bij Berend een paar stieren uit hun stellingen. Ze moesten zó lang en heftig aan hun riemen gerukt hebben dat een staander van de hooivloer het had begeven. Met balk en al aan de riem stormden ze de straat op.

In alle vroegte stonden Do en Klazien bij het raam, zagen Berend en zijn ploeg met hooivorken een stier bestoken. De knechten dreven hem in een hoek om hem de kluisterband om de knieën te slaan. Het beest zoog, hakte. Met blote handen ging Berend hem te lijf, wist de horens te grijpen. Zich uit alle macht schrap zettend hield hij het in bedwang – twee seconden, en werd afgeworpen. De stier zette het op 'n lopen, alle knechten renden erachteraan. Bij Het Kromdiep liep hij het dagmenu aan flarden, stormde dwars door een kippenhok heen, richtte elders beduidende schade aan en holde toen de akkers in, waar hij de ganse nacht zou staan loeien in het donker.

De volgende dag... Do ging brood halen bij Christiaanse. Buiten adem kwam ze thuis. 'Ze lopen te hoop! Nu is Berend zelf dol geworden!' Berend zou een uitval naar oom Ludo hebben gedaan, had hem tegen de schenen getrapt, zou hem een oor hebben afgebeten als burgemeester niet tussenbeiden was gekomen en hem op straffe van arrest naar huis had gestuurd.

'Praatjes,' zei moeder.

Maar toen papa thuiskwam, wist Klazien dat het waar moest zijn. 'Wat híér gebeurt!' klaagde hij. ''t Lijkt wel of Berend nu zelf 't virus onder de leden heeft.

Er zijn van overheidswege tact, sussende woorden, bedreiging met eenzame opsluiting en ten slotte zelfs paardenzwepen aan te pas gekomen om 'm terug naar Tiedemaborg te drijven.'

Praatjes genoeg, in huis, op straat, in de krant – sensatie alom. Maar toen het nieuws de nationale pers haalde, werd het menens, want 'geen nieuws' mag dan 'goed nieuws' zijn, het verkoopt slecht. Bij Lodder zei iemand trots te zijn op Kromzicht, vanwege de landelijke belangstelling. Die kreeg van Lodder de wind van voren. Lodder zag het al voor zich: een dorp van noodlijdende boeren – van knechten dus zonder een cent op zak!

Men begon in te zien, ook daar, bij Lodder: dit is niet slechts een zaak tussen boer en ambtenaar, dit raakt ons allen. De altijd zo door bijna niets te beroeren Oldambtster vergat zijn trotse aard die zich maar al te vaak uitte in leedvermaak jegens de boeren. Ieder besefte de ernst van de zaak.

Vooral onder de vrouwen bleef niemand onberoerd bij wat er gebeurde. Bij bakker Christiaanse beweerde vrouw Freriks dat het brood oudbakken was, een klacht, zei ze, die ze feitelijk al jaren had. Vrouw Christiaanse beschuldigde háár van laster en kwade trouw en herinnerde haar aan uitstaande rekeningen, en ook het mens van Lodder vond dat iedereen haar plotseling met de nek aankeek, terwijl niemand ooit anders had gedaan.

De mannen voelden zich niet minder betrokken. Wildvang... Die herinnerde zich plotseling dat hij nog een vete had lopen met Wester, zijn buurman, van jaren her, toen hun vrouwen ruzie hadden over een reep chocolade die ze hadden gevonden op de stoep, en Wildvang en Wester woorden kregen over een strook grond tussen hun kavels, een strook van elf centimeter breed, een kwestie die nu eindelijk maar eens uitgepraat moest worden, meende Wildvang. Wester was niet onder de indruk, hij nam zich voor Wildvang nooit meer te groeten. Maar wat zag je de volgende dag? Wester groette wel, hij stak wel degelijk zijn hand op naar Wildvang, heel vriendelijk zelfs.

Men was kribbig, duidelijk. Elke dag was er wat. Veel werd opgerakeld, veel zaken die men om de lieve vree aan de vergetelheid had willen prijsgeven, waren ineens weer actueel. Zelfs meester Den Hollander leek de kluts kwijt en dat wilde wat zeggen. Ooit had hij bedenkingen geuit tegen dat al te naturalistische beeld in de tuin bij Freriks, die blote Venus. Nú vond hij dat beeld ineens 'krachtig, veelzeggend'. Het leek wel of ze nu allemaal de ziekte onder de leden hadden.

25

Kromzicht wankelde, maar het behield zijn kracht. Al die verwijten en al die strubbelingen, ach, het was al bijna weer oud nieuws vóór de dag om was. Wat gisteren gebeurde, leek vandaag al normaal. Dreigende boeren, chagrijnige bestuurders, loeiend vee – het was gewoon nooit anders geweest. Men leefde ermee.

Leek de onrust buiten wat af te nemen, des te groter de verwarring binnenskamers – Do en Klazien konden erover meepraten. Papa was minder vaak thuis nu. Temeer bevitte en bejouwde moeder hen – ze kregen ruzie om de kleinste dingen. Wapko zat te jengelen, Klazien at niet of op ongeregelde tijden, Do liet de afwas staan – één barrel was het.

Do leek onder dit alles nog het meest te lijden. Allerlei dingen bezwaarden haar; de zorgelijke toestand van Berend en dat ze niets meer begreep van Klazien. Steeds liet ze het haar weten, op slaapkamer: 'Ik snap maar niet dat je met 'm gebroken hebt, Klazien. Wie weet was z'n vee dan nog gezond geweest.'

'Gedane zaken nemen geen keer,' zei Klazien. Dat had ze papa ooit horen zeggen en niemand kende beter de waarheid achter spreuken. De waarheid was dat Berend haar koud liet.

Toen de tijd voor de maandstonden kwam, verkeerde ze in spanning. Het liet op zich wachten, het werd onzekerheid verduren, dagenlang. Zo onwerkelijk was alles. Ze zat achter het huis onder het afdakje en dacht: dit kán niet waar zijn, zelfs de mussen worden er gek van... Er was er juist een vóór haar voeten op de grond gaan zitten, en toen ze dat dacht: zo onwerkelijk alles, vloog hij op en was verdwenen.

Do zou het ooit wel te horen krijgen: dat er niets was geweest tussen Berend en haar, des te meer met oom Ludo – Do zou het begrijpen. Maar moeder... Dat die almaar op slaapkamer kwam... Dat ze van moeders kant nú al vragen kreeg te verduren, grote ogen, stille verbijstering, het maakte de breuk met Berend alleen maar dieper en haar liefde voor oom Ludo groter.

Ze stond bij het raam, zag Berend staan praten met een paar mensen, waaronder papa, burgemeester, meneer Stroep. Een virus, zei men, maar wát voor virus dan? Ze wist het niet, net zomin als Do. Wat zo'n virus niet al kon losmaken aan narigheid – ze had het buiten willen gaan vragen aan Stroep, maar mocht van moeder de straat niet op, onder géén beding!

Berend Tiedema... Zoals hij daar druk stond te gebaren op straat... Hij had wallen onder zijn ogen, een baard van drie dagen. Alsof hij aan de boemel was geweest, nachtenlang feest had gevierd – ze had met hem te doen, ondanks zichzelf.

Ooit was ze verliefd op hem geweest, een zondag, een heerlijke tijd, een lentefeest. Ze ging trouwen, niet te geloven! – en had toen met hem gebroken. Eenmaal

hadden ze nog gepraat met elkaar. Hij had ophelde-
ring geëist, had de gedupeerde gespeeld. 'Waarom,
Klazien, waarom?' Ineens had hij toen de hand in eigen boezem gestoken, begon op zichzelf te schelden.
Toen ook dat geen effect had, dreef hij de zaak op de
spits en riep: 'Hoepel maar op! Voor mij besta je niet
meer!'

Inmiddels leek hij over de grootste bitterheid heen,
hij had dan ook andere dingen aan het hoofd. Hij stond
zich op te winden tegen Stroep, maakte een snijgebaar
onder zijn kin langs. Ach, dacht ze, is er dan alleen
maar koeienleed op de wereld?

Ooit had ze zich ingezet voor de misdeelden, met
heel haar hart. Ze had zich het leed van de mensheid
aangetrokken, ja, ook dat van Berend – een bijzondere,
haast bovenmenselijke ervaring was dat, een spruit
van de grote liefde, niet meer en niet minder. Berend
had diep in de buidel getast, maar haar liefde had hij
niet gewonnen. Oom Ludo gaf geen cent – door hém
waren haar ogen opengegaan. Voor oom was ze gevallen. Híj was het voor wie ze alles zou doen en alles in
de steek zou laten en alles zou opgeven. Waar was hij?
Ze zou willen dat hij kwam, haar hier kwam weghalen.
Geen minuut kon ze nog zonder hem.

Maar één keer had ze hem nog gesproken sinds het
begin van de perikelen. Nou, gesproken... Het was bij
Christiaanse, juist toen hij de winkel uit kwam en zij
naar binnen wilde. Ze hadden alleen maar 'grr' en
'hmm' gezegd tegen elkaar, alleen maar dat, alleen
maar wat dierengeluiden kunnen maken in het passe-

ren. Toch had het haar gesterkt. Ze hield van oom Ludo, wist het zeker – niets kon dat verhelpen. Ze verlangde naar oom, was gelukkig om hem, droeg een vrucht van hem.

26

Van de ene dag op de andere sloot meester Den Hollander zijn klasje aan de Molenweg. Ook de ulo in Aaland was pupillen uit Kromzicht voor onbepaalde tijd liever kwijt dan rijk.

'Vakantie!' werd er gejuicht, maar wat moesten Do en Klazien ermee? Moeder was onuitstaanbaar, ze verzon de onzinnigste klussen om hen binnen te houden. Zelfs een luchtje scheppen was er niet bij. 'De koeien zijn veel te onrustig,' zei ze.

'Altijd de meisjes,' klaagde Do.

'Wapko net zo,' zei moeder duldzaam. 'Jóngens zowel als meisjes. Wandelen is gezond, en bovendien niet duur, maar 't is momenteel niet vertrouwd op straat.'

Klazien zei niet veel. De liefde had haar veranderd, stiller gemaakt. Haar gezicht was bleek en blossig tegelijk. Haar tepels voelden hard en haar buik leek propvol, hoewel ze pas een maand of twee onderweg kon zijn. Al wat nodig was voor de aanmaak van een kind stormde daarheen. Ze was bang dat het opviel. Ooit zou het ervan moeten komen...

's Avonds in de keuken, in haar eentje aan de afwas, leed ze onder de vrucht van haar onschuld, onder dit rijpen in haar schoot, de schande die zou komen. Onwerkelijk voelde ze zich, achterbaks. Zij, die nooit een blad voor de mond had genomen als het ging om dingen die ertoe deden – geen mens kon ze nu vertellen hoe gelukkig ze was, gelukkig om oom Ludo.

Ze was alleen, Klazien, zo alleen met haar geluk. Elke dag zag ze oom wel een keertje lopen buiten op straat, zonder zelfs maar naar hem te kunnen zwaaien. Dat niemand ervan wist, ging haar krachten al bijna te boven, maar dat ze het de enige die het móést weten, niet kon vertellen – die last, het maakte haar liefde voor oom Ludo tot iets groots, iets monumentaals.

In plaats van op slaapkamer te blijven veranderde ze van tactiek en bleef vaker beneden, hopend Do vóór te zijn, als moeder zou zeggen: 'Wie gaat er brood halen?' Oom hoefde haar maar één keer tegen te komen, hoefde maar even stil te staan en haar aan te zien, en hij zou weten hoe laat het was. Ze zou hem niet eens om de hals hoeven te vallen, hij zou het weten. ''n Boer kent de tekens van de natuur, hij leest ze in gang en ogen' – hoe vaak had ze dat grootvader niet horen zeggen?

Do kwam op slaapkamer. 'Moeder roept, Klazien.'

Die zat beneden bij de haard, op haar stoel, een zakdoek in haar handen gepropt. Op haar schoot lag een soort kussentje, vanboven kunstig bewerkt met zijdedraad in beige, lila, blauw...

'Wat is dit?'

''n Brievenmap.'

'Onder je matras?'

Niets kon nu de waarheid nog verhinderen aan het

licht te komen, Klazien híéld het niet meer. Snikkend viel ze moeder om de hals: ''t Is van oom, mama, 't is van hém. Ik heb 't van hém opgelopen, van oom Ludo.'

Moeder, niet ten volle begrijpend, foeterde buiten zinnen, wilde het wicht de kamer uit sturen, kreeg pas tóén de bangste vermoedens en riep haar terug.

'Wát is van hem? Wát heb je van onze Ludo? Och kind, nee! Nee toch!' barstte ze in tranen uit.

Ludo en zijn knecht lieten zich weinig gelegen liggen aan de stampei op straat. Ze hadden de handen vol aan andere dingen. Ze bleven in de stallen, hun dieren eisten alle zorg nu.

Moes werkte voor drie. Hij spoot ze sodawater in de keel, diende ze vitaminen toe en andere medicamenten uit Ludo's nachtkastje: gecomprimeerde tridigestine tegen oprisping, Dalzoz' pepsine tegen flatulentie. Ook wreef hij ze in met walnotenolie, niet na ze eerst grondig geschuierd te hebben. Voorts zorgde hij voor extra zuringkoeken met de bedoeling de zuurgraad in hun magen te verhogen, wat ontsmettend scheen te werken. Tweemaal daags gaf hij ze een behandeling met zwavelgas tegen verkoudheid. Want ja, wie weet was 't dát, een ordinaire kou die de weerbaarheidsdrempel verlaagde en bacillen vrij toegang verschafte tot het runderlichaam.

Gedurig sprak hij ze bij dat alles toe. Ze leken gevoelig voor die aandacht, als herinnerde de vertrouwdheid van zijn stem hun organisme aan vroegere levenskracht. Een enkele keer deed hij hardop hun loeien na, dan hielden ze even op. Doorvoer van witte bloedlichaampjes beoogde hij met dat sussen en bedaren, voor een hernieuwde aanval op de smetstof.

Ludo keek toe, een vleug weemoed op het bleke gezicht. Met de handen in zijn zakken stond hij scheef tegen een paal geleund, toonbeeld van rust, de enige die het hoofd koel hield in de helse menagerie, hij en zijn Driek, die naast hem stond in zijn box. Hier stond Ludo, daar Driek, een oud tafereel, een heraldiek tableau, beiden met de ingehouden onrust van hun moeders, een kalmte zo ijzig dat geen virus ertegen bestand zou zijn.

'Zie 'm staan, de duivel,' zei Ludo.

'Doet niet mit aan de kolder,' grinnikte Moes.

'Erg pienter oogt-ie niet, nee. Maar o wee, 't is 'n kei. Hij is ze stuk voor stuk te slim af, de ziektekiemen.'

Op dat moment hief Driek de kop en keek hen aan, met grondeloze blik. Even meenden ze daarin iets van boosheid te zien twinkelen, iets van boos, bijna menselijk vernuft.

27

Klazien at niet, dronk niet, zat boven, ze was onzichtbaar. Dat ze gesnapt was door moeder – even had dat
haar een gevoel van schuld gegeven. Toch was het beter zo. Het had haar opgelucht, zekerder van zichzelf
gemaakt, minder achterbaks. Alles had tot voor kort
nog zo vreemd geleken tussen haar en oom Ludo. Nu
ze zich met haar gelukkige staat moeders woede op de
hals had gehaald, was haar liefde alleen maar werkelij-
ker geworden.

Maar papa, wist die het al, van het kind dat eraan
kwam? Had moeder het al doorgebriefd? Kennelijk
niet, je hoorde hem alleen maar over Utrecht. 'Ze hebben geen haast daarginds,' klaagde hij. 'Wat 'n toestand! Elke dag wat. Tiedema is niet te stoppen, Ludo
is niet te bewegen en Utrecht laat op zich wachten. Elk
moment kan er 'n ramp gebeuren!'

Oom Ludo... Het was me er eentje. Zoals hij daar als
een schooljongen steentjes liep te trappen op straat, bij
alle trammelant... Die ernst wanneer iemand hem
staande hield, en tegelijk die hopeloze speelsheid van
hem. Ze had altijd hoog tegen hem opgezien toen
grootvader nog leefde. Nu niet meer. Oom had haar
een gevoel van gelijkwaardigheid gegeven, bij wat er

gebeurd was. Hij was wel veel gestudeerder, maar wat hinderde dat? Ze kon zich toch ontwikkelen? Ze was nieuwsgierig genoeg, ze snakte naar kennis. Ze zou lid van de Aalander Leeskring worden, straks wanneer de rust was teruggekeerd.

Weer was Do haar vóór geweest met brood halen. Toen ze thuiskwam, wist ze het volgende te vertellen: vrouw Christiaanse had moeder bij dokter zien binnengaan. Vrouw Christiaanse had gezegd dat ze dat vreemd vond, had zich afgevraagd wat iemand die er zo goeddoorvoed uitzag, wel kon mankeren...

Nou, mama mankeerde niks. Óp van de zenuwen, dat was alles. Dezelfde middag liet ze Klazien weer bij zich komen. 'Dokter heeft misschien 'n oplossing,' zei ze.

Klazien vroeg: 'Waarvoor?'

'Wat denk je? Voor je probleem.'

'Welk probleem?'

Deit werd er wanhopig van. Dagen achtereen zon ze op middelen om licht te brengen in het vertroebelde hoofd van haar kind, foeterde, smeekte, praatte op haar in, maar bleef op weerstand stuiten. Ze dreigde papa in te lichten. Toen ze buiten zichzelf raakte van woede, bleek ze dat al te hebben gedaan. En dokters voorstel, ook daarvan was hij op de hoogte.

Nou, als dat zo was, was daar weinig van te merken. Toen papa 's avonds thuiskwam, jammerde hij nog steeds alleen maar over de crisis. 'Wat 'n ellende! Ik heb te doen met die zieke dieren. Als er geweld aan te pas moet komen? Ik weet niet, Deit... Vernietiging van leven? Ik ben er op voorhand tegen.'

Moeder dreef de spot met hem. ''t Is onze Lúdo z'n schuld!' foeterde ze, ''t is zíjn vee. Vernietiging van leven! Jij hebt nog nooit 'n koe gemolken en denkt overal verstand van te hebben. 'n Draaitol ben je! Was ik maar met 'n boer getrouwd.'

Toen kwam er nog een aap uit de mouw: moeder was ook bij oom Ludo langsgeweest. Ze had hem uitgehoord over Klazien, had hem de oren gewassen, uitgescholden. Maar het enige wat ze te horen had gekregen was: 'Sorry, Deit, none of your business.' Moeder begon bloed te ruiken. Wat haar betrof konden Ludo's dieren krijgen wat ze verdienden: de kogel!

De volgende dag... Het middageten was gedaan. Sijkes zat bij de haard, grauw, het hoofd in de handen. Buiten klonk loeien. Het vee was weer bijzonder onrustig vandaag. En nog altijd geen nieuws uit Utrecht en ook Klazien zweeg.

Hij was gespannen, Sijkes, als wethouder én privé. Dat er gepraat werd in Kromzicht kon hem niet schelen. Bij Lodder zou iemand gezegd hebben: hij had Sijkes bij dokter gezien. U zegt? Eerst vrouw Sijkes, nu de echtgenoot? Dat moet venerisch zijn! Wat Sijkes toch uitspookt op Aaland...!

Sijkes bleef er geduldig onder. Eigenlijk was hij alleen maar bedroefd. Wat hij uitspookte op Aaland – ieder mocht daar het zijne van denken. Maar dat bezoek aan dókter was hem door de ziel gegaan. Moedwillige beëindiging van leven... Had hij er zich niet fel tégen verklaard, als het om ziek vee ging? Had hij niet voorop gelopen, toen ze Tiedema naar zijn erf terugdreven? Nu het om zijn eigen kind ging, kon hij het onmogelijk ineens de gewoonste zaak van de wereld vinden.

Anderzijds... Deit... Die was toch ook niet harteloos? Toch verlangde ze de kogel. Het idee alleen al, hij werd er misselijk van. Tegelijk sterkte het hem enigszins dat Deit er zo over dacht, het suste zijn geweten, het instigeerde hem. Privé, nou ja, maar als wethouder diende men de betere van zichzelf te zijn... En hij stond op, nam zijn jas van de kapstok en ging de straat weer op.

Hij trof het, de halve bevolking was bijeen, Dröve, Stroep, Wildvang, Wester, Stok, Tiedema en zijn werkploeg. Tiedema zag er moe uit. Hij zei weinig. Te afgetobd waarschijnlijk om nog helder te kunnen denken. Met een verdwaasde trek om de mond mompelde hij maar wat voor zich heen. 'Ziek... Doodziek... Wie gaat dit betalen?' – alsof een zoet gif hem doornevelde.

Sijkes maakte graag gebruik van deze tijdelijk verminderde tegenwoordigheid van geest en zei: 'Luister, Berend, we moeten praten. Praten kost niets. Ik wil praten met Hensius, met jóú, met ieder die tot redelijkheid bereid is. Het lijkt me sterk, als we niet tot 'n tussenoplossing kunnen komen.'

''n Wát?' vroeg Dröve gealarmeerd.

'Begrijp me goed, burgemeester, maar ik kan die beesten niet langer horen. Als we ze, hangende Utrecht, nu eens valium toedienden? Grote hoeveelheden, zodat ze in godsnaam even ophouden met 't getreiter, al is 't maar drie minuten.'

Toen nam de heer Stroep het woord, en men wist: als die lang niets had gezegd en hij verbrak zijn zwijgen, legde dat gewicht in de schaal. 'Valium maakt suf,' gaf hij ter overweging, ''t maakt slaperig, maar 't doodt geen ziektekiemen.'

'Nee, en koeien ook niet,' mompelde Berend.

'Ziektekiemen leven bij gratie van hun drager, te weten het runderlichaam,' doceerde Stroep. 'Wat derhalve, als we die dragers nu eens uitschakelden? Maken we dan, consequent geredeneerd, niet tevens de kiemen onschadelijk?'

'Nee, Stroep,' schudde burgemeester het hoofd, 'niet voor álle mogelijkheden onderzocht zijn', en hij liet Hensius roepen.

Kromzicht vergaapte zich aan deze raadsvergadering midden op straat. Men hoorde Stroep nog pleiten. Voorlopig stond die op verlies, de beurt was nu aan Hensius.

Ludo kwam en hoorde het voorstel aan. Hij werd er bijzonder vrolijk van. 'Met dooie koeien ziektekiemen uitroeien?' – hij vond het briljant, hij vond het geniaal.

Berend spuugde op de grond, vlak naast Ludo's voeten.

'Onhygiënisch gedeponeerd sputum,' zei Ludo.

Iemand grinnikte. Berend deed een stap naar voren...

'Kalm aan, Tiedema,' sprong burgemeester tussenbeiden. 'Rustig blijven. Persoon en zaak scheiden.'

Sijkes had het er moeilijk mee. De toestand vroeg om daadkracht, om een snelle afwikkeling – hij besefte maar al te goed wat er van hem verwacht werd, als wethouder met veeteelt in de portefeuille. Waar nodig zou hij zelfs voor gebruik van ambtelijk geweld niet mogen terugschrikken. Maar het lag gecompliceerder dan men dacht. Tiedema was niet het enige heikele punt. Hij zat tussen twee, misschien wel drie, nee vier vuren. Ook Deit drong immers aan op harde maatregelen, ook haar hete adem voelde hij in zijn nek. Anderzijds wilde hij Ludo, zijn zwager, evenmin afvallen als het erom ging zijn vee van de dood te redden. En tot slot was er nog de zaak van het algemeen belang, een zaak die hij als wethouder gezworen had naar eer en geweten te zullen dienen, los van persoonlijke motieven. En daar, in die persoonlijke motieven, zat nu juist het venijn. Als het thuis gewicht in de schaal legde dat hij tegen afbreken van leven was, dan hier, bij het nemen van een beslissing in zake het vee, evenzeer. Waarmee die beslissing van 'een lastig bestuurlijk probleem' ineens 'een ernstige gewetenszaak' werd.

'Nou, wat doen we?' hield Stroep aan.

Sijkes wist: nu is het erop of eronder. Het was alsof hij zijn oren niet geloofde, toen hij zichzelf hoorde zeggen: 'Als we daarmee tevens de ziektekiemen te pakken hebben, vooruit maar, dan dóden we die paar koeien.'

'Ik denk toch van niet,' zei Ludo.

Sijkes slikte, alsof hij zijn woorden wilde terugnemen. Men zei van hem dat hij een weifelaar was, maar wel eentje die, als de nood aan de man kwam, van aanpakken wist. Maar nu was hij té doortastend geweest.

Te laat drong het tot hem door dat hij met deze beslissing ook die andere zaak had beslist, ja, die zaak onherstelbare schade had toegebracht.

Hij kon niet terug, hij had een naam hoog te houden. Hij hoorde zichzelf pleiten, argumenteren, de stem van zijn geweten overschreeuwen en hoe hij Hensius nu eens aansprak met 'beste Ludo', dan weer met 'vereerde zwager'. 'Met je vader viel altijd te praten, Ludo. Je vader was altijd te vinden voor 'n oplossing die voor eenieder bevredigend was.'

'Ik niet,' zei Ludo.

Nee, Hensius niet, men had niet anders verwacht. Een Hensius had geen boodschap aan voor eenieder bevredigende oplossingen, zeker niet als die buiten hem om waren genomen. Een Hensius was gewend zelf de lakens uit te delen.

Toen werd het Sijkes te machtig. Voor het eerst liet hij zich gaan. Hij wendde zich tot burgemeester, beriep zich op het wetboek en vroeg zich af of de beslissing over leven of dood in een geval als dit nog wel uitsluitend bij de boer lag.

'De wet is mij bekend, Sijkes,' zei Dröve – een antwoord dat er niet om loog. Toch wilde Dröve zijn wethouder ook niet op de tocht laten staan. 'Tja,' peinsde hij hardop, 'hoe 't tij te keren? Staan jou nog middelen ter beschikking, Ludo?'

'Wachten.'

'Wachten? Maar wachten waaróp dan toch?'

'Op de erfelijkheid. Ze is haar eigen beschermvrouwe, burgemeester, haar eigen heelmeesteres. Laten we 't aan háár overlaten. Laten we ons, mét Napoleon, nederig boven de misstanden stellen die we zelf veroorzaakt hebben.'

'Hensius is zunig op z'n Driek,' hoorde men Wildvang tegen Wester smoezen. Ach, men was hier in het Oldambt, het had net zo goed kunnen betekenen: Hensius hèt groot geliek.

De stem van het volk, men doet er vaak laatdunkend over. Toch was het in dit geval die stem die in het krachtenveld van meningen een belangrijke verschuiving teweegbracht, met name bij inspecteur Stroep. 'Ik moet zeggen,' zei deze, 'nou ja, een compleet stamboek uitroeien... Het is nogal wat.'

Berend hield het niet meer. 'Godhere, hoor dat! Als er één varken in 't hok begint te gillen, doen ze 't allemaal.'

Een beetje gelijk had Berend wel: dit was een omslag van maar liefst honderdtachtig graden van Stroep. Maar Stroep bleef erbij, hij zag niets in de kogel.

Ludo glunderde. Kijk aan, de eerste was over de streep. En toen hij zich tot Berend wendde en zei: 'Volkomen gelijk, Berend. Als één varken begint te gillen, doen ze 't allemaal. Maar keer de zaak nu eens om: als één dier in de stal 't hoofd koel houdt, worden ze allemaal rustig...', toen verklaarde ook Wildvang zich tegen 'afmaken' en was het pleit gewonnen. Want weldra was ook Wester tegen, en Schut, en Stok van assurantiën, ja, in feite iedereen. Wat Sijkes ook nog voor goede ideeën aandroeg omtrent een 'nette' doding, hij wist als geen ander: 'nee is nee' in Kromzicht.

Met algemene stemmen, ja, ook die van Sijkes zelf ten slotte, werd midden op straat besloten en bij monde van burgemeester verklaard en bekrachtigd: 'In naam van de koningin: geen dier zal worden afgemaakt, zolang Utrecht niet antwoordt.'

Zo, men kon naar huis. Een zorg minder, ook voor Ludo Hensius. Maar of zijn hoogedele dieren er ook zo over dachten? Driek leek rustiger, stiller, alsof hij onraad rook.

'We nemen maatregelen, Moes,' zei Ludo, 'we verhuizen 'm. Voorzorg. Hij is slim, onze Driek, maar hij houdt niet van verrassingen' en hij gooide de hendels van de box los. Gedwee liet de held zich bij de ring door zijn neus meevoeren op zijn korte witte pootjes en in het stookhok stallen.

Bij Sijkes thuis ging het er minder gedwee aan toe. De hel brak los, toen Deit te horen kreeg dat de kogel van de baan was. Bespottelijk! Het raakte kant noch wal. Maar zo gemakkelijk zou ze zich niet gewonnen geven. Hij, Sijkes, mocht op straat wat te zeggen hebben, thuis was zíj de baas.

Dezelfde avond kon Klazien weer op het matje komen. Moeder zat met rooddoorlopen ogen. Papa's stem klonk bijna smekend: 'Zou je er toch niet 'ns over willen nadenken, Klazien? Dokter weet raad, hij wil je te woord staan.'

Dat vond Klazien heel aardig van dokter, maar zij wilde hém niet te woord staan. Klazien hield geen spreekuur.

'Besef wat je doet, kind,' zei moeder. 'Denk aan 'n ander, aan Wapko en Do. Ze wijzen ons na met de vinger!' – het was dweilen met de kraan open. De liefde had Klazien wijs gemaakt, wijs genoeg om te wachten tot al hun argumenten uitgeput waren, om dan de genadedreun uit te delen: 'Het is niet van jullie, het is van mij. Én van oom Ludo.'

Maar 's nachts, o hemel, dan lag ze te draaien, luchtte haar hart met een traantje, verweet zich dat ze papa pijn deed. Maar als ze weer aan oom Ludo dacht, dan begon haar hart te bonken en zag ze ineens heel duidelijk vóór zich wat geen mens haar ooit had kunnen vertellen, papa niet, dokter niet, Berend, niemand, behalve oom: wat 'grote liefde' was.

Meteen speet het haar dan weer voor papa en trok de kou door haar heen en dacht ze dat het echte geluk misschien nog moest komen; dat ze niet ten koste van alles gelukkig kon zijn.

28

'Een beschamende vertoning' – zo noemden de Kromzichters hetgeen om hen heen gebeurde. Meester Den
Hollander vond dat wat overdreven, in het perspectief
van de vaderlandse geschiedenis. Toch keek ook hij op
van dat rumoer in het holst van de nacht. Hij was juist
in de bedstee gestapt en moest er weer uit, trok zijn
pantoffels aan en opende het raam.

Het was stil buiten. Geen zuchtje wind. En niets te
zien, op een mistige gaslantaarn na, ginds bij de brug
over het diep. Maar wat was dat? Hoorde hij loeien? Ja,
verdraaid. Uit de richting van Tiedemaborg kwam het.
Massaal loeien. Panisch.

Juist wilde hij het raam weer dichtdoen, toen ver weg
een knal klonk, gedempt, maar onmiskenbaar.

'Berend, ach,' schudde Den Hollander zijn hoofd, en
hij sloot het raam en zocht zijn bed weer op.

Dus toch, ging het door de schoolmeester heen, hij
maakt ze af, hij legt ze stuk voor stuk het schietmasker
aan... Slapen deed hij niet. Het was niet gemakkelijk de
stakker uit je gedachten te bannen met dat gedoe daarginds.

Uren lag hij zo te luisteren of er nog schoten kwamen, en elk schot bezeerde hem. Tot het geloei ver-
stomde.

Ook Do had het lawaai gehoord, ginds bij Berend – het moest rond middernacht zijn begonnen. Ze was uit bed gekomen en naar Klazien gegaan. Klazien rilde, ze zag doodsbleek. Even later kwam papa binnen, over z'n toeren, in ochtendjas. 'Och Here nee, 't masker,' steunde hij, 'hij legt ze 't masker aan!'

Moeder en Wapko vonden ze kleumend op de overloop. Met z'n allen stonden ze daar voor het kleine venster, vanwaar ze een beter zicht hadden op Tiedemaborg. Ze zagen er stallantaarns bewegen in het bos en op het erf, allerlei volk scharrelde er rond.

'De eerste die verstandig wordt,' zei moeder.

En meteen klonk er in de stallen weer zo'n droge tik die door merg en been ging, en loeide er een koe minder.

Do kroop tegen moeder aan. Ook Wapko vond het spannend.

'Gáát dit allemaal zomaar,' zei papa. 'Waar is Dröve?'

'In bed. Waar anders?' sneerde moeder.

Zeker een uur stonden ze daar, zoals waarschijnlijk iedereen in Kromzicht, achter het raam in pyjama, de lichten uit. Tot het lawaai bij Tiedema was opgehouden. Alleen bij oom Ludo klonk nu nog loeien, maar zwakker, verder weg.

'Kom, naar bed,' besloot moeder. 'De voorstelling is afgelopen. Jij ook, Klazien. Kind, wat zie je eruit!'

Klazien kroop onder de dekens, ze hoorde nog schuifelen op de gang, en eindelijk de klik van mama's slaapkamerdeur.

Ze lag wakker, ze was alleen, Klazien. Ze was bij

oom Ludo en toch ook niet. Als ze aan hem dacht, ontspande ze een beetje. Had hij die herrie ook gehoord? Het idee dat zíjn vee tenminste nog leefde, stelde gerust, en ze probeerde alleen daaraan te denken en het gruwelijke bij Berend te vergeten.

Ineens dacht ze te weten wat meester Den Hollander bedoeld moest hebben, toen bij geschiedenisles: dat vrede altijd gewapend ging. Dat vrede nooit op zich stond, maar de keerzijde was van strijd. Dat wáre vrede slechts kon heersen in het hart van de mens.

Uren leken voorbij, toen meester Den Hollander eindelijk de slaap voelde komen en zich liet gaan. Maar hij was nog niet aanbeland in het rijk der dromen, of hij schrok weer wakker, hoorde gestommel op de gang, een vrouwenstem.

'Meneer, meneer!'

De bedsteedeur ging op een kier. Den Hollander hief zich op. De meid scheen hem met de lamp in zijn gezicht.

'Burgemeester staat aan de deur.'

'Dan laat 'm verdorie binnen,' zei Den Hollander geirriteerd, en hij trok met een zucht zijn sloffen en kamerjas weer aan en wankelde naar beneden.

Dröve stond in de salon. 'Avond, Karel. Sorry dat ik...'

Hij brak zijn zin af, ze hoorden schreeuwen buiten en stonden bij het raam. In het schijnsel van de gaslantaarn ginds bij Het Kromdiep lichtten gestalten op, van mannen, koeien.

'Wat is dít?' zei Den Hollander. 'Alwéér?'

Toen doemde vlakbij iemand met rasse schreden op uit het donker. Een pet. Hij bonkte op de voordeur.

Ludo's knecht?

''t Is vort!' hijgde Moes, ''t Is vort, meneer Dröve!'

'Vort? Wie?'

''t Vee van Hensius!'

'Hoezo vort?'

''t Is vort! Vort!'

'Ja, dat zei je al,' zei Den Hollander – pas toen begon de waarheid tot hem door te dringen.

'Wat gebeurt er, Moes? En vlug wat,' zei Dröve.

Met hangen en wurgen wisten ze het uit hem te krijgen: dat Berends lui zich toegang tot de stal verschaft hadden door een tak in de spleet tussen de grote deuren te steken. Zo hadden ze kans gezien de grendelboom eraf te wippen en waren binnengedrongen, waarna ze de hendels hadden gelicht.

''t Is vort! De boxen binne leeg!'

'En Driek?'

'We binne gaan kiek'n in 't stookhok. 't Haakje zat er nog op. Daar stond 'm, doodstil, zich van gin kwaad bewust.'

Een harde knal galmde door de nacht, Den Hollander kromp ineen. Dit was niet het masker, dit was een geweer. 'Wel heb ik ooit... Erop af, Dröve, kom, vlug,' zei hij resoluut.

Maar burgemeester greep hem bij de elleboog. 'Gekkenwerk, Karel, toe... Dit is Texas niet. Schenk liever 'n borrel in. Die kunnen we wel gebruiken langzamerhand.'

Toen moest ook Den Hollander inzien: zinloos. En gevaarlijk bovendien. Als Berend al zó ver was gekomen, zou niemand hem nog tegenhouden. Hij had vrij spel.

En dus: blijven waar je was, er zat niets anders op – toezien vanachter het raam hoe de afrekening in z'n werk ging; hoe het weerloze vee werd opgedreven, rondzwierf, van angst tegen deuren en schuttingen trapte, vuilnisbakken omverliep; hoe er ruiten sneuvelden, bloembedden, de aardewerken pot met buxus bij Sijkes in de voortuin.

Ze moesten het laten gebeuren, heel Kromzicht deed dat. Geen mens die het waagde zijn huis uit te komen, al was het maar om alvast een prei uit de grond te trekken voor de soep van morgen. Ach, het kon ook wel wachten. Meer dan een nacht zouden Berend Tiedema en zijn knechten niet nodig hebben om het vee van Hensius af te slachten.

Klazien was verstijfd bij die eerste knal. Ze luisterde, lijkbleek. Dat was niet bij Berend in de schuur, dacht ze, dat was in de openlucht. Het had ook niet als daarstraks geklonken, maar als een pistoolschot... Toen voelde ze kramp in haar buik.

Rechtop zat ze, handen tussen haar benen, stil hopend dat het niets was; dat ze zich vergist moest hebben. Zo bleef ze liggen, half opgericht op haar ellebogen, doodsbang. Ver weg hoorde ze honden blaffen, het klagen van koeien in de nacht – doodsbang was ze dat er nog zo'n knal zou klinken en dat daarmee dan ook die pijn terugkwam.

Ze gleed uit bed. Misselijk in de buik scharrelde ze over de planken naar de commode. Bij het vaalwitte licht van de straatlantaarn zag ze zichzelf staan in de spiegel en huiverde. Het verdubbelde de schrik toen, toch nog onverwachts, dat tweede schot kwam, het deed haar sterven van angst.

Toen hoorde ze zachtjes de deur opengaan. Do. 'Berend is gek geworden...' fluisterde ze. Maar meteen deinsde ze terug. Achter haar aan kwam moeder binnen. 'Ja, nu is 't uit! In bed, jij, en vlug wat!' en de kamerdeur viel weer dicht.

Ze lag op haar rug, Klazien, hoopte dat oom Ludo kwam. Zo ongewoon zou dat niet zijn, nu, met deze paniek, al was het maar om papa te spreken. Ze zag het voor zich hoe ze dekking zou zoeken achter een fauteuil of achter papa's rug, terwijl hij met hem sprak, omdat ze zo niet gezien wilde worden, bleek en bezweet als ze was. Hoe ze toch ook, op zijn eerste teken, haar spullen zou pakken en met hem mee zou gaan, voorgoed...

Dan stond ze op uit de schemerslaap, bevochtigde haar voorhoofd met water uit de lampetkan, deed bromidedruppels in een glas, en lag weer, luisterde weer, wachtte, niet bij machte de palpilaties in haar borst tot bedaren te brengen.

Het loeien leek huilen nu, het geblaf wreder – ze kon het niet langer aanhoren en stak haar hoofd onder het kussen. Alles om dít, dacht ze, om dit onheil dat in me is... Ineens begon ze wat buiten gebeurde op zichzelf te betrekken, zichzelf de schuld te geven van de gruwelen. Alsof zíj die op haar geweten had. Alsof háár liefde al dit bloed deed vloeien.

Ze was alleen, Klazien, zo alleen. Ze was alleen met de scheuten die door haar lichaam gingen. Ze probeerde zich ervoor af te sluiten door te doen of ze sliep, zich van uitputting te laten gaan op een droomflard. Akelig stil was het ineens. Toen maakte die rust plaats voor een koortsig verlangen in haar en liep ze in een zee van licht op blote voeten over de warme klinkers van de Voorstraat, met een kan in haar hand, door moeder eropuit gestuurd om bij grootvader Hensius melk te halen. Ze liep het plaatsje op. Daar stond Driek. Met een ring door de neus stond hij aan de gevel geketend. Loom draaide hij zijn kop, zag haar aan – iets schemerde er in die blik, iets van boosheid. De melkkan vloog uit haar hand en ging aan diggelen, ze rende, rende zo hard ze kon, hoorde deksels en bussen kinkelen, snuiven en briezen achter zich, zag de bebloede neusgaten, een deur opzij die openknalde... 'Oom Ludo!' gilde ze.

Klam van het zweet zat ze rechtop, ziek – klammer en zieker bij de moordende rust buiten. Ze hoorde niets meer. Onwezenlijk stil was het. Daarmee kwam het afzien weer terug, het in stille verschrikking de volgende wee afwachten.

'Zeg dat 't overgaat,' snikte ze.

Ze hield van hem, hield van oom Ludo, was zwanger van hem. Zwanger van zijn grillen en streken, van zijn spoken en zijn lust. Zwanger van het loeien buiten, van het hondengehuil, zwanger van de hele trammelant. Draagster was ze van die dood die door haar onderlijf

waarde, moedertje van een lichaam dat het hare weigerde, omdat het in háár niet leven wilde.

Half op één elleboog leunend onderdrukte ze de pijnen, die nu sneller kwamen, golf op golf, en lag weer,
richtte zich weer op, kwam het bed uit, met haar hand
de koperen knop van het ledikant omklemmend om
rechtop te blijven...

Het voelde kleverig van onder, als bloed... En ze
gleed terug in de lakens, haar snikken smorend in het
kussen.

29

Het begon al licht te worden, toen ze haar kleren aantrok. Ze bloedde heviger, probeerde het te stelpen met een opgerolde handdoek tussen haar benen. Even had ze het smoezelige, met heldere vloeistof gevulde blaasje in de hand gehouden, had het toen zo goed en kwaad als het ging in een zakdoek gevouwen en het met ander nageboorte achter het behang gestopt. Al haar dromen stortten in, alle dromen van haar en oom Ludo. Alles had hij op dit kind gezet – zíj had het verworpen.

Ongemerkt wist ze de trap af te komen, het kiezelpad op. De straat schrok haar af. Bij Christiaanse brandde al licht. Verder zaten overal de luiken nog voor de ramen, wat als voordeel had dat vandaaruit niemand haar kon zien.

Net kwam de zon kijken boven het wazige land, hij scheen recht de Voorstraat in. Dat zeiden ze zo in Kromzicht, als het voorjaar eraan kwam: de zon staat in de Voorstraat...

Verderop zag ze de melkbussen al staan bij oom Ludo. Het erf was leeg, er scharrelde nog geen kip rond. De deksels van de bussen stonden netjes op hun kant tegen de gevel, als altijd, of er niets gebeurd was; of niet alles veranderd was vannacht. De deur van het stookhok hing halfopen, zag ze, toen ze het erf overstak.

Ze verstarde. Zag ze daar ogen? Ja, Driek stond daar in de opening, nekloos, een zwarte kolos. Ze versnelde haar pas, maar probeerde zich toch zo onverschillig mogelijk te gedragen, zoals ze dat deed bij kwaaie honden om geen argwaan te wekken. Loom draaide hij zijn kop en keek haar aan. Alsof hij de angst bespeurde in de onechtheid van haar lopen. Rennen, dacht ze, en wilde omdraaien en de straat weer op.

'Hé daar!'

Ze keek om... Oom Ludo. Op de drempel stond hij, met verwarde haren, slaperige kop, één hand aan de klink, de andere in de zak van zijn ochtendjas. Hij moest haar al hebben zien komen vanachter het raam, wakend over zijn stier.

Oom was haar voorgegaan naar de woonkamer, was aan tafel gaan zitten, somber ineens – versomberd vanaf het moment dat hij haar in de ogen zag. Hij had alleen nog maar 'hé daar' gezegd bij de voordeur, verder nog geen woord. Hij zat zijn Carl Gustav schoon te maken, die vóór hem in delen uiteen lag op een krant. Met een poetslap wreef hij langs de loop, akelig rustig.

Ze zat op de ottomane, zweeg wee. Haar knieën voelden trillerig, ze klemde ze bijeen, dekte ze af met haar schort, ze voelde het bloed in de kleffe handdoek trekken.

En oom poetste. Poetste de achtkantige loop, kalm, aandachtig, liefkozend bijna. Ze had hem niets hoeven te zeggen daarnet, niets hoeven uit te leggen. Uit ogen en gang leest een boer de grillen van de natuur. Trouwens, dat ze hier zat met behuilde ogen, nietig op het randje, zei genoeg.

Toen hoorde ze hem vragen: 'Heb ik je al 'ns laten zien wat hier ingaat, Klazien? Kijk, zie je dit stalen knikkertje?'

Wild sprong ze op, wierp zich op hem, omklemde zijn hoofd, snikkend: 'Ik heb 't verworpen, oom, ik heb 't verworpen! Ik ben veel erger dan Berend...'

Hij liet haar begaan, bewoog niet, alle gevoel leek uit hem. Rustig bevrijdde hij zich van haar, zonder wat te zeggen. Wat viel er ook te zeggen? Hij reikte naar een leren buideltje dat tussen de poetsspullen lag, schudde pijnlijk nauwkeurig poeder in de loop, terwijl zij daar zat, naast hem op die hoge stoel. Dan liet hij de knikker erin vallen, drukte alles aan met een ronde stok, stond op en sloeg zijn ochtendjas dicht.

'Kom, huil niet, Klazien. Je kunt beter naar je moeder.'

'Ik wil... Ik wil hier blijven,' begon ze te grienen, 'bij jou. Ik wil bij jóú zijn...'

Maar toen hij haar onder de elleboog nam, haar rustig ophielp van haar stoel... Gewillig gaf ze mee. Gewillig ging ze de drempel over, toen hij de kamerdeur voor haar openhield.

Alles zou ze doen voor hem, al wat hij vroeg – zelfs weggaan, de pijn in haar eentje verduren. Alles zou ze in de steek laten voor oom Ludo – zelfs hém.

Oom torste zijn Carl Gustav mee door de gang, beducht voor een inval of handgemeen zeker. Verdoofd liep ze voor hem uit, zwijgend, ze had hem nog zoveel willen vertellen.

Buiten zag ze Driek staan, half uit zijn hok.

'Vroeg op, ons ventje,' hoorde ze oom Ludo zeggen. 'Zie 'm staan. Nog straf in de pootjes, de slimmerik.'

Waardoor gealarmeerd, wist ze niet, maar ze keek opzij, zag oom met twee handen zijn Carl Gustav ter heup hoogte brengen, een voet voor de andere zetten, en...

Baff!!

– als in het voorbijgaan.

Haar oren tuiterden. Kruitdamp trok op. Oom zat op de stoep, door de klap achteruitgestruikeld tegen de gevel.

Driek stond er nog. Traag ging hij door de poten, eerst door de vóór-, dan door de achterpootjes, en lag daar, lijvig, een kolos, met de snuit naar voren op de klinkers.

30

Kromzicht. Een rustig dorp. Vredig. Het vee graast in het land, en de jongens op straat vechten met elkaar om vrienden te blijven. En 's zomers wanneer de haver binnen wordt gereden, dan rijden de meisjes mee op de kiepkar, een drukte van jewelste die voortduurt, tot de laatste voer op stee is.

De ouderen hebben hun geschillen bijgelegd – wat? ze hebben nooit geschillen gehad! Maar ze geven graag toe: ze waren wát blij toen het achter de rug was. Niemand die nu nog schande spreekt van een ander, niemand die een belerend vingertje opsteekt – behalve Den Hollander, maar dat kan, want die is onderwijzer – niemand ook die een ander beschuldigt, want niemand heeft iets gezien. En dát in Kromzicht, waar je tot voor kort nog niet op straat kon spuwen of je werd met de nek aangekeken.

Wildvang en Wester hebben een hek gezet tussen hun tuinen. Het is wel zo netjes zo. Wildvang hield de paaltjes vast, terwijl Wester de houten hamer hanteerde. Hun vrouwen stonden erbij te keuvelen, de armen onder de boezem. Ze leken het nogal koddig te vinden, zoals die twee hun best deden.

Sijkes werd herkozen in de raad. Hij kreeg zelfs een

speldje opgestoken door burgemeester, wegens dapper optreden tijdens de crisis. De fanfare uit Aaland speelde een mars. Een jaar later is hij overleden. Niets dan goeds over hem.

Vrouw Christiaanse vertelde wat ze van Do had gehoord. Die had het weer van haar moeder. Dat Ludo naar Aaland zou zijn gegaan, vandaar met de trein naar Stad om Engelbert te spreken. 'Beste broer,' had hij gezegd, 'aan jou de taak de pacht van huis en land te regelen.' Engelbert gaf geen antwoord. Hij antwoordde zelden, en áls hij het deed, was het onverstaanbaar. Hij régelde de pacht, heeft zelfs delen van het land verkocht.

Ineens was hij verdwenen, Ludo. Niemand wist waarheen, geen mens heeft hem zijn koffers zien pakken. Bij Lodder zeiden ze dat hij naar Amerika was. Anderen beweerden: Tasmanië. Weer anderen beriepen zich op Deit en zeiden dat hij naar Sint Helena is geëmigreerd om er augurken te kweken. Oom Albert zou tegen hem gezegd hebben: ''t Oldambt is te klein voor jou, Ludo. En dat zeg ik, die in 'n hondenhok leef.'

Klazien was stil die eerste dagen, ze was bij oom Ludo. Ze geloofde er niets van dat hij vertrokken was. Hij zal wel op een fokveedag zitten, praatte ze zichzelf in, in Bugaasterveen of Domhold, elk moment kan hij terug zijn...

Ze was alleen, Klazien, zo alleen met oom, ze zou dood willen zijn. 's Nachts hoorde ze zijn radio, King Oliver, hoorde zijn stem in haar oor, zijn hese manen en aandringen. Dan huilde het in haar en moest ze opzitten om adem te krijgen.

Moeder en Do deden alles om haar op te beuren. Ze liet hen begaan, hielp mee in huis, met de aanmaak van kachelhout, de inmaak van bonen en pruimen, de opmaak van de kerstboom – zonder een klacht. Half april, een van de eerste mooie dagen, nam ze zelfs de moeite van een middagje fietsen met papa, om hém te plezieren. Wapko kwam hen achterop. Die had net zijn driewieler verruild voor een echte fiets.

Ineens stond daar Berend voor haar. Papa en Wapko waren doorgereden. 'Ik zag je al komen, Klazien,' lachte hij.

Berend vertelde van de meevaller die hij had gehad, van de hooiblazer die hij had aangeschaft, en van Moes natuurlijk, 'de beste die je kunt krijgen'. Die had weer bij hem terechtgekund, als voorman nog wel, in verband met de uitbreidingen.

Berend... Hij was traag, altijd geweest, maar ook altijd de eerste die over zijn hart zou strijken. De positie van vrouw was nog vacant op Tiedemaborg. Vandaar... Moedig dong hij om haar hand, vroeg haar een datum te prikken, liever vandaag dan morgen. Hij liet de kleermaker op Aaland haar maten nemen en bestelde bij Christiaanse een bruiloftstaart.

Papa en mama waren er, oom Engelbert, meester Den Hollander, Moes natuurlijk, vrouw Christiaanse en al Berends neven en nichten. Zelfs oom Albert had zich in een sjees laten hijsen. Burgemeester was helaas verhinderd en Freriks had het te druk – en allen zagen ze, die middag op Tiedemaborg, een sneeuwwitte bruidsjapon en een spierwit gezicht.

Ze was aardig, Klazien, haar bovenlip krulde weer
een beetje. Liefhebbend was ze, huisvrouwelijk bezorgd dat niemand tekort kwam, op gebied van brandewijn, gebak of paling noch wat aanspraak en gezelligheid betreft. De meiden moesten lopen, ze kregen
amper de tijd om zelf een lik slagroom te nemen.

Buiten zaten ze, in de zon opzij van het huis, met z'n
allen aan de grote tafel. Terwijl de wind met het tafelkleed speelde, at ieder zijn biefstuk, vorken en messen
waren in de weer – even kon Klazien ontsnappen uit
het middelpunt van de aandacht.

Oom Albert zat verderop onder de beuk. Voor hem
was er apart een tafeltje gedekt, aangezien hij niet al te
netjes meer was. Hij was er niet minder aanwezig om.
Voortdurend liet hij zich horen: 'Heerlijk, hoor, die
kippenlevertjes!'

Klazien zei niet veel, ze leek elders met haar gedachten. Ze keek naar oom Albert. Hoe die de meid van het
werk hield, toen ze langskwam om zijn wijnglas bij te
vullen. Duidelijk hoorde ze hem over de telescoop van
Santa Barbara vertellen, met grote gebaren, over dingen die miljoenen jaren geleden waren voorgevallen en
nu pas op aarde gebeurden, nu pas de huid van jonge
meiden zacht en bloemig maakten, en over nog andere
dingen die ze niet kon verstaan op die afstand.

Ineens begon ze in zichzelf te lachen, Klazien, onbe-
daarlijk te hikken, niemand wist waarom. Deit gaf
haar een zakdoek.

Toen meester Den Hollander opstond en een dronk

uitbracht op bruid en bruidegom, de hoop uitsprak dat ze gelukkig mochten zijn, bij zon en regen, voor- en tegenspoed, en zoveel land erbij zouden mogen winnen dat ze het konden opdelen tussen al hun zonen – ineens werd het toen stil in haar hoofd, doodstil, en meende ze iets van geschuifel te horen achter zich, gekinkel van deksels en melkbussen over de keien, wild snuiven en briesen... Toen was het alsof ze aldoor nog aan het rennen was, aldoor maar hoopte dat ergens die deur openging.

Tegen vieren was iedereen van tafel. Oom Engelbert vertrok, de drukte was over. Moeder en Do hielpen de meiden met de afwas. Berend had een sigaar opgestoken. Hij en Den Hollander kuierden in de laan voor het huis, met oom Albert arm in arm tussen hen in. Stiekem wist Klazien weg te komen.

Achterlangs liep ze het bos in, opzettelijk ruw haar witte schoentjes in het slijk potend, haar jurk losrukkend als die bleef haken aan een braamstruik. Lang stond ze in de vijver te turen, alles om zich heen vergetend, een en al aandacht voor die donkere poel, die takken, bladeren en onbewogen waterspiegel, plots aangelokt door het idee van hoe het zou zijn, als haar witte bruidsjurk daar zou drijven, lichtjes opbollend, bleke levenloze handen meetrekkend in het water, nekhaar dat opzijviel.

Bijna als voor de grap had ze haar schoenen uitgetrokken, ze bijeengenomen en wilde het water in, toen ze 'Hallo-o?!' hoorde roepen, 'waar zit je?' – stemmen die haar zochten.

Wapko stond bij haar, zijn pet achterstevoren. 'Waar zit je nou, dom wicht?'

Ze giechelde, draaide zich om, klopte modder van haar rok. Gruwelijk, wat ze daar had gewild... Maar toen ze haar natte kousen weer in de schoentjes had en met hem meeliep, wist ze dat ze daarmee koos voor een lot dat niet veel aantrekkelijker was: een leven aan de zijde van boer Tiedema.

31

Vrouw Tiedema overziet haar leven. Als ze iets laat vallen in de keuken en het opraapt, overziet ze haar leven. Als ze een te jong kalf de fles geeft... Als ze bij Christiaanse de fles met zuurstokken ziet staan... Vrouw Tiedema zou van haar-leven-overzien haar leven maken, als ze geen monden te voeden had.

Het kon gebeuren dat Berend nog laat op het land was met zijn knechten. Dan zette ze het eten voor het volk maar alvast op. Moes had gemolken – met stramme vingers, hij kon het niet laten. Hem liet ze voor het eten door Bina, haar jongste, een citroentje voorzetten, liep een stukje de tuin met hem in, om te pronken met haar siepels, mous en dahlia's.

Als ze dan stilstonden aan het eind van het pad – een grauwe hemel trok over het land; ginds in de laatst aangekochte akker stond, half weggezakt in zijn ondergelopen sporen, een kar met stropakken –, dan wist Moes aan wie ze dacht.

'Zes kinderen,' zei ze, 'allemaal dochters, allemaal gezond. Straks met de kerst komt 't jong van Dora logeren.'

Zes dochters... Berend had 'ja' gezegd tegen de ambtenaar en was die gelofte nagekomen, hij had zijn echtelijke plicht vervuld. Voor wat de dieren betreft fokte hij voort als tevoren, en je zou zien: altijd wist hij uit de bonte verscheidenheid wel wat te brouwen, eigenschappen te bundelen die een veestapel opleverde waarmee men voor de dag kon komen bij de Bond.

's Avonds, als ze alleen was, haakte vrouw Tiedema, bij het raam waar het 't langst licht bleef. Ze hield van haken en breien. Dan overzag ze haar leven en wist dat het dragelijk was.

Een enkele keer, als ze het koud had en vroeg in bed lag, nog vóór het helemaal donker was... In het bos klonken bijlslagen, ergens blies een kat. Dan collecteerde ze weer voor het weeshuis, zat bij oom Ludo op de bank, pruilend, terwijl hij zijn handen tot kommen vormde en haar vochtig maakte met de hand, tot ze huilde, hem smeekte, hem ter wille was.

Altijd moest ze dan lachen door haar tranen en hoorde ze getrappel van koeien, hoorde hem lachen, joelen: 'Dit wordt 'n zoon, Klazien! 'n Zoon! Twááf grondslagen!'

Met dank aan C.O. Jellema, Bart FM Droog, Willem
Jan van Wijk e.a. voor tekstuele wenken; aan boer
E. Meindertsma voor praktische tips op fokgebied;
aan E.J. Dommerhold, E.W. Hofstee, D.L. Bakker en
K. Bosma, uit wier handleidingen en leerboeken over
landbouw, veeteelt en sociografie schrijver dezes onge-
vraagd en vaak woordelijk heeft geput, en aan Erna Staal
van uitgeverij Contact, voor haar rotsvaste vertrouwen
in de toekomst van Kromzicht en zijn bewoners.